TRAPPED IN A VIDEO GAME

勇敢者游戏

① 漏洞消灭者

〔美〕达斯廷·布雷迪◎著

〔美〕杰西·布雷迪◎绘　　石若琳◎译

U0642854

北京科学技术出版社
100 层童书馆

TRAPPED IN A VIDEO GAME (BOOK 1) by DUSTIN BRADY AND JESSE BRADY
Copyright © 2018 Dustin Brady
Cover art and design by Jesse Brady
This edition arranged with ANDREWS MCMEEL PUBLISHING
through BIG APPLE AGENCY, INC., LABUAN, MALAYSIA.
Simplified Chinese edition copyright:
2024 Beijing Science and Technology Publishing Co., Ltd.
All rights reserved.

著作权合同登记号　图字：01-2024-1539

图书在版编目（CIP）数据

勇敢者游戏 . 1，漏洞消灭者 / (美) 达斯廷・布雷迪著 ; (美) 杰西・布雷迪绘 ;
石若琳译. —北京：北京科学技术出版社，2024.5 (2024.9 重印)
书名原文 : Trapped in a Video Game
ISBN 978-7-5714-3653-7

Ⅰ . ①勇… 　Ⅱ . ①达… ②杰… ③石… 　Ⅲ . ①儿童故事—作品集—美国—现
代 　Ⅳ . ① I712.85

中国国家版本馆 CIP 数据核字 (2024) 第 028249 号

策划编辑：徐乙宁	邮政编码：100035
责任编辑：张　芳	电　话：0086-10-66135495（总编室）
责任校对：贾　荣	0086-10-66113227（发行部）
营销编辑：侯　楠	网　址：www.bkydw.cn
图文制作：天露霖文化	印　刷：三河市华骏印务包装有限公司
封面设计：包荧莹	开　本：880 mm × 1230 mm　1/32
责任印制：吕　越	字　数：65千字
出 版 人：曾庆宇	印　张：4.25
出版发行：北京科学技术出版社	版　次：2024年5月第1版
社　　址：北京西直门南大街16号	印　次：2024年9月第2次印刷
ISBN 978-7-5714-3653-7	

定　　价：32.00元

目　录

01
鼻屎和炮火

"杰西，快来找我！就现在！你绝对想不到发生了什么事！"

这条手机信息毁了我的生活。

我知道，我知道，这条信息看上去没什么大不了的。而且，发信息的人还是我的好朋友埃里克，每次他说"你绝对想不到发生了什么事"时，发生的其实都是一些很平常的事。

例如，他说，我绝对想不到他发现了一片和电影《星球大战》中的黑武士看上去一模一样的吐司（其实那就是一片烤焦了的吐司），我绝对想不到他能骑着自行车表演杂技（就是他骑车的时候双手能放开车把不到一秒钟），我绝对想不到他挖出来的一块鼻屎有多大（那块鼻屎确实很大）。

我故意不回信息，沉默是让埃里克赶紧把废话说完的最好办法。但是，五分钟过去了，埃里克并没有发来第二条信息。于是，我回他：

"发生了什么事？"

他没有回复。

"到底说不说啊？"

依然没有回复。

"不会是你又从鼻子里挖出了一大块鼻屎吧？"

还是没有回复。

又过了五分钟。我叹了口气——好吧，这次算埃里克赢了。哪怕是去看他挖鼻屎，也比写数学作业有意思。于是，我合上作业本，穿上夹克，过马路去埃里克家找他。

他家的大门没锁，我直接走向地下室。"我来了。又发生了什么事啊？"我边下楼梯边问。

这里并没有鼻屎，也没有埃里克的影子。

"快出来吧。"我一边喊，一边在洗衣房里（这里没有脏衣服）转来转去。没找到人，我又上楼去了埃里克的房间（他的脏衣服都在这儿）。可是，门后面、衣橱里、床底下我都找了个遍，还是没有找到埃里克。

简直令人难以置信。

一年级的时候，埃里克家搬到了我家对面。从那之后，他最喜欢做的事情就是捉弄我。

我并不介意埃里克捉弄我，关键是，他在捉弄人方面并不是很在行。他很没有耐心，经常还没开始捉弄我，自己就暴露了。他听说把正在睡觉的人的手放到温水里会让这个人尿床。于是，好多次我到他家过夜，他都想趁我睡着试一试，好捉弄我一番。但是，每次我躺到床上还不到半分钟，他就忍不住要把我的手放到温水里，而我这个"受害人"每次都会泼他一身水。

这次埃里克竟然沉得住气，真是让我佩服。但是说不定，他马上又要开始犯傻了。

我找了一圈没看到他，又回到了地下室。"埃里克，"我冲着空荡荡的地下室大声喊道，"我要回家写数学作业了，周一还得交呢，你也赶快写吧！"

地下室里还是一片寂静，只有开着的电视证明他在这里待过。电视画面定格在一款电子游戏上。埃里克特别喜欢打游戏，电视上正是他最爱的游戏——《火力全开》。你肯定没听说过《火力全开》吧？这款游戏还没正式发行。两周前，埃里克刚从查理那里要到这款游戏的卡带。查理是我们年级最受欢迎的男生，但是我必须声明——查理能在整个四年级叱咤风云，并不是因为他的个人魅力，而是因为他爸爸。查理的爸爸在电子游戏公司上班，总给查理一些测试版游戏的卡带，提前让查理体验，所以我们也能跟着他一起玩。

在过去的两周里，埃里克张口闭口说的都是《火力全开》这款游戏。

"告诉你吧，杰西，这绝对是有史以来最好玩的电子游戏！"

"我不想听。"

"在游戏里，外星人要占领地球，你是唯一可以打败他们的人，因为……"

"我不想听。"

"因为你找到了他们的炸药库，只要引爆炸药……"

"我不想听！"

"你就可以火力全开……"

埃里克总是叫我去看他打游戏，但我一次也没去看过。相比之下，我宁愿有人拿着消防水管"火力全开"地冲我喷水，也不愿看别人打游戏。因为我不太喜欢电子游戏，从来没有坐下来好好玩过。

我不自觉地走到电视前，心想：这可是第一款埃里克不停念叨的游戏，也许我该试一试。我看着屏幕，拿起了游戏手柄。

你确定要开始吗？

——确定

——取消

我思考了几秒，要不要试试呢？如果我玩，埃里克的游戏记录被覆盖了怎么办？他不会在意的。他要是知道我也玩这款游戏了，肯定特别高兴。想到这里，我立刻按下了游戏手柄上的"确定"键。

　　与此同时，周围的一切都变黑了。不止电视屏幕，整个房间瞬间都被黑暗吞噬。

02
拯救人类

假设你刚喝了牛奶就去表演特技跳伞，可是你在空中的时候，想起一起跳伞的同伴刚给你讲的笑话，你笑得不行，从鼻子里喷出了牛奶，从嘴里吐出了牛奶，这感觉是不是很难受？是不是很难想象？一般人可不会遇到这种情况，不是吗？可是，这就是我按下"确定"键之后的感受。

刚才我按下"确定"键后，周围的一切都变黑了。我吓坏了，慌忙摸索着，想要找到游戏手柄的"取消"键。但问题是，游戏手柄已经不在我手里了。我伸手想要摸摸沙发在哪儿，可一不小心失去了平衡，开始向黑暗中坠落。我下坠的速度越来越快，我的肚子里仿佛翻江倒海一般。我感觉自己都吐了。"这款游戏糟透了！"刚想到这里，我就昏了过去。

不知过了多久，我恢复知觉，慢慢睁开了双眼。可是，我眼前却是刺眼的阳光——这景象有点儿意思，毕竟埃里克家的地下室一点儿阳光也照不进来。

我动了动身子，感觉自己躺在松软的泥土上。这就更奇怪了，我肯定是在做梦。于是，我又闭上双眼，定了定神。我再次睁开双眼，却看到一双充满怒气的眼睛，就在距离我眼睛五厘米的地方。

"我的天哪！"

"休息时间结束了，小子！"

一名中士冲我咆哮着。我还从来没见过谁这么生气，不禁有点儿害怕，缩了缩身子。

"听我说……我不知道这是怎么回事……但这确实很

重要……我能不能给我妈妈打个电话……"

这名中士完全没有给我妈妈——里格斯比太太打电话的意思，反而直接拽着我的衣领，把我拎了起来。电视上的恶棍都是这么欺负人的。

"听着，小子！我不知道你是怎么把发射器绑到胳膊上的。既然绑好了，我们就得行动……"

什么绑在我胳膊上？我低头一看，天哪！真的有发射器！我的右胳膊的前半截安装了一个发射器！

"啊啊啊啊啊啊啊！"

不管我怎么高声尖叫，中士就像听不见一样，还在自顾自地发表长篇大论。

"把这帮外星人赶回它们的老窝去。你现在是人类唯一的希望了……"

"啊啊啊啊啊啊！"

"你要拯救我们的星球。你将踏上一段未知的征程，途中会遇到许多困难，很可能会丢了小命。但是……"

"啊啊啊啊啊啊啊，我的天哪！"

他说他的，我喊我的，我根本没有办法让自己冷静下来。就这样过了几分钟，这名中士终于讲完，到一边去了。我坐在地上，喘着粗气想要把胳膊上的发射器拆下来。

就在我手忙脚乱的时候，他又开始嚷了："调到行走模式。"

我抬头看向他，问道："你说什么？"

听我这么问，他怒气冲冲地盯着我看了几秒，然后重复着："把控制杆 C 调到行走模式。"

我眨了眨眼睛，完全摸不着头脑："听我说，我不明白这是怎么回事，你一定要帮帮我。"

我赶紧起身向他走了几步。

"我根本不应该在这儿……"

"很好，现在按住按键 A，准备跳跃。"

我斜眼看向他：

"你到底有没有听我说话啊？"

他没有任何反应。

"这么说吧，我叫杰西·里格斯比，是个四年级学生。让我去消灭外星人？根本不可能！而且说实话，我也不太相信真的有外星人。你能不能帮我把发射器拆下来，我好回家写作业？求求你了！"

"按住按键 A，准备跳跃。"

"跳什么跳！我才不想跳呢！"

"按住按键 A，准备跳跃。"

"这是在玩游戏，对吗？就是虚拟现实什么的？就像戴了 VR（虚拟现实）眼镜一样？"

说到这儿，我赶紧去摸脑袋，想把 VR 眼镜摘下来。眼镜没找到，我却碰到了胳膊上的发射器。这可是货真价实的武器啊！

"按住按键 A，准备跳跃。"

"好吧，你总知道埃里克吧？埃里克·康拉德，就是那个超级活泼的男孩，差不多这么高。是他让我来的。你见过他，对不对？"

"按住按键 A……"

"好吧！"我跳了起来，"这回你满意了吧？"

"很不错。现在该去炸那帮外星人了。跟我来。"

"不，我可不想去炸什么外星人！"我跟在中士后面喊道，"我该回家写数学作业了！我要去做分数乘法练习了！"

中士还是和之前一样，完全不理会我说了什么。我虽然又急又气，却只能跟着他走，不然还能怎么办？

中士带着我走进一个空荡荡的军事基地，穿过一排排兵营，来到靶场。他拿来一把气枪，打开一道门，带我走进了射击的壕沟。在离壕沟差不多十米远的地方，竖着一个硬纸片做的靶子。它形状像螳螂，足有一个成年人那么高。

"你就在这儿学习怎么射击。"

"我根本就不想射击。"

"按住按键B，准备射击。"

"我有个问题啊。你不停地要我按这个键、按那个键，可是我没有游戏手柄，该怎么按呢？话说回来，刚才我还拿着游戏手柄，但是不知怎么回事，我就到了这么个地方，游戏手柄也不见了！你说我该怎么办？！"

"按住按键B，准备射击。"

"你真是一点儿忙也帮不上啊！"

"像这样，按住按键B，准备射击。"他举起气枪，朝着靶子瞄准。只听叭的一声，靶子上立刻出现了一个小洞。

"好吧。"我答应道，开始摸索发射器上的按键或扳机。可是，发射器上什么也没有。"我照你说的做了，没有按键 B！这回可以了吧？现在你总能帮我……"说着说着，我无意中右手握成了拳，胳膊上的发射器瞬间发射出一发炮弹，把靶子炸了个粉碎。

"这是什么?！"

"干得漂亮！说不定你真能拯救全人类。"

就在这时，射击场上又竖起了一个更大、更吓人的螳螂靶子。

"现在长按 B 回充能量，直到能量充满……"

"这是《火力全开》游戏吗？难道我进入了《火力全开》游戏？"

中士当然没有理我。他还是哇啦哇啦地讲着回充啊，射击啊，还有"你在征程中"发现的各种武器之类的。我试图离开这里，但是不管怎么努力，似乎都无法爬出壕沟。

大约过了半小时，我已经用胳膊上的发射器消灭了一大堆"螳螂"。这时，中士说："好了，你可以打败那些外星坏蛋了。"

"天哪，不！"我嚷道，"带我去找埃里克·康拉德吧，求求你了！"

就在这时，我身后出现了一个发光的旋涡。

"现在，你将被派往落基山，那里是外星人的基地。"

"不要啊……"

"一路平安，勇士。冲吧！"

那个旋涡越来越大。

"不、不、不、不、不、不！"

我想逃走，但根本来不及。我被旋涡吸了进去，开始下坠。呼呼呼！眼前的一切再次消失，我又有了那种高空跳伞时从鼻子里喷牛奶的感觉。终于，我停止了下坠。我紧闭双眼，祈祷这一切都是一场梦，这样等我睁开眼睛，我就能回到埃里克家的地下室了。可事实是，我睁开双眼后，发现自己并没回去。更糟糕的是，我眼前都是白茫茫的雪。最糟糕的是，一个巨大的像螳螂一样的外星人——足有一辆坦克那么高，正向我冲来。

03
疯狂战斗

　　看到这么大的"螳螂"，想到自己就要被吃掉，我做出了一个最正常的反应——大声尖叫。

　　"啊啊啊啊啊啊！"我的叫声并没有影响它前进的速度，它离我越来越近，我只能赶紧逃跑，免得被抓住。

　　"啊啊啊！"

　　咚！

"啊啊啊啊！"

咚！

"啊啊啊啊！"

咚！

在积雪覆盖的石头路上逃命可不是件容易的事，特别是当你的胳膊上还有发射器的时候。眼看着外星人越来越近，我就要被追上了，没办法，我只能使出自己的绝招：把身子蜷成球，往前滚。但因为我的胳膊上有发射器，这样做也没能加快速度……

对了，我能用发射器射击！

千钧一发之际，我闭上眼睛，抬起右胳膊，右手握拳。听到轰的一声后，我睁开眼睛，看到那个外星人化成一团亮光，然后消失了。

天哪，我差点儿就没命了！这里险些就成了我的葬身之地！

那我的墓碑上可能会这样写："来自俄亥俄州米德尔菲尔德的杰西·里格斯比长眠于此。杰西为了拯救电子游戏世界中的人类，和外星人勇敢搏斗，不幸丧失了生命。他凭着不屈不挠的精神，和外星人对峙了整整十秒。"

我打量着四周。这里到处都是白雪和岩石，只有一条蜿蜒崎岖的小路，直通到前面的山里。这里就是落基山？不，我是绝对不会往山里走的。想到这儿，我转过身，打算逃离这个鬼地方。刚走了几步……

咚！

我好像撞到了什么，跌倒在雪地里。这真是太奇怪了。带着满腔的疑惑，我站起来又试了一次。

又是咚的一声。

我赶紧站起来仔细检查了一番。除了空气，周围什么都没有。于是，我伸出拳头试了试。

还是咚的一声。

啊！疼死我了！这感觉就像是一拳砸到了砖墙上，但是这堵墙是看不见的。我使劲甩着手，想减轻疼痛。我想用发射器炸毁这堵隐形墙，但没有成功。我还是无法穿过这堵墙。加大火力是不是就行了？我站得远了一点儿，再次启动发射器。但是，发射出的炮弹只闪了那么一下，就被这堵墙吸收了，消失得无影无踪。我叹了口气，没办法，只能扶着这堵隐形墙走，看看墙上会不会有缺口。

就这样，我走了大约五分钟。要是平时，我根本想不到自己会干这种事。突然，左边传来一阵声音。

咔嗒、咔嗒、咔嗒。

我缓缓地看向左边，在一片松林后面，我隐约可以看到两个大螳螂般的外星人正来来回回地踱步，像是在守卫通向山中的小路。我倒吸了一口凉气，蹑手蹑脚，生怕发出一丝声响引起它们的注意……

咚！

真没想到，这堵墙居然突出来一块，我的脑袋正好撞了上去。一个外星人听到声音后转过身来朝我这边看。我吓得一动也不敢动，只能安慰自己：也许这些外星人和霸王龙一样，只能看到活动着的东西。

吱吱吱吱吱！嘎嘎嘎嘎嘎！

我想错了！它们能看见我！一个外星人直起身子，发出刺耳的声音，另一个外星人则向我奔了过来。

我使劲迈着自己的小短腿，越过岩石，绕过大树，再次开始逃命。我一边跑，一边冲着后面疯狂射击。

轰隆隆！吱嘎嘎！

轰隆隆！吱嘎嘎！

　　一个长着六条腿的灵活的外星人，要想追上一个胳膊上有发射器、跑起来跌跌撞撞的小孩，更何况这个小孩一点儿都不擅长体育运动，结果可想而知。但出人意料的是，我竟然击中了它！

　　轰隆隆！吱嘎嘎！

　　轰隆隆！吱嘎——

　　这个外星人被我击中，哀嚎了一声就倒下了。我没有时间庆祝胜利，因为外星人听到炮弹轰炸的声音和同伴的叫声，一个接一个地冲了过来。

　　我终于逃到了大路上，继续一边火力全开地射击，一边气喘吁吁地向前奔跑。这时候我忍不住想，要是带着吸入器就好了。话说回来，游戏中哪里有用吸入器的角色呢？这一切都怪埃里克，他发信息时就应该告诉我："快上我这儿来！你绝对想不到发生了什么事！别忘了带上治疗哮喘用的吸入器。"或者直接说明白："你要是想被巨型螳螂一样的外星人追赶，在雪地里逃命，就赶快上我这儿来。"这样的话，我还可以考虑一下要不要参与。

　　我就这么一边跑一边朝后射击，两边的地势越来越高。我这才发现，自己跑进了峡谷，两边都是悬崖。那些外星人紧跟着我，也纷纷追到峡谷里。越来越多的外星人加入了追捕。突然，我发现前面竖着一堵十几米长的石墙。这意味着前面没有路了。

我只能背靠石墙疯狂射击。这时候，我的动作娴熟多了，命中率也高了不少。但这似乎没什么用。因为每次只要有一个外星人被击中，峡谷口就会再涌来三个。外星人大军朝我步步逼近。三十米、二十米、十五米，它们越来越近。我不停地射击着，同时默默闭上双眼，准备接受命运的安排。

突然，外星人开始尖叫。我睁开眼，只见五个外星人同时被消灭，发出一片耀眼的光。我压根儿不知道发生了什么，只知道敌人正在锐减。

"杰西！"

我循声向上看去，是埃里克！只见他站在悬崖上，朝着峡谷里的外星人射击。他简直就是一个超级英雄！

"怎么样，兄弟！感觉刺激吧？"

"糟透了！快带我回去！"我高声喊道。

"看来你玩得不错啊！可以试试把火力调到最大！"

　　我按埃里克说的，火力全开。真不错！我们一起启动发射器，向外星人大军射击。

　　五分钟后，外星人大军几乎被消灭殆尽，只剩下正打算从峡谷口冲进来的三个。我转过身看向埃里克，只见他调整好了发射器，正准备射击。这时候，我注意到有个乌黑的东西鬼鬼祟祟地躲在埃里克后面。这家伙看上去比大螳螂还吓人，像个怪物。它有五条腿，胳膊上也有发射器。

"小心！"

埃里克看向我，可那个外星人已经瞄准他了。

"小心后面……"

我话音未落，外星人开火了。我最好的朋友就这样消失在我的眼前。

04
实战模式

　　从一年级认识埃里克开始，他就是我最好的朋友。我还记得，我们第一次见面是他家搬到我家对面的那天。当时他的父母都在整理货车上的行李，埃里克头戴一顶皮帽子，在前院跑来跑去，时不时用手指转转帽檐。我在旁边观察了好一会儿，才鼓起勇气问他在干什么，他告诉我他在练习飞行，并且"差不多要飞起来了"。我对他的话深信不疑，毕竟我才刚上一年级。一年级的小孩都觉得自己可以飞。当时我就决定，要和这个有点儿神奇的小孩一起玩，顺便学习一下他的飞行方法。

在之后的四年里，我们几乎形影不离，一起经历了很多事情。尽管时至今日，我们都还不会飞，但是我们曾经一起在斜坡上往高处跳，仿佛伸手就可以摸到天空；我们曾经一起用放大镜点火，研究凸透镜是怎么聚光的；我们还曾经在院子里露营，吓唬对方，最后我们都吓得不敢进屋尿尿。我们经历了这么多事，现在，他却突然在我眼前消失了。

我朝着刚刚射中埃里克的怪物一顿猛射，又干掉了峡谷里剩下的外星人，然后开始往悬崖上爬。刚才埃里克还好端端地站在那里。想到这里，我忍不住开始抽泣。爬上悬崖后，我默默地注视着地面上被烧黑的一处。刚才我的好朋友就站在这里，现在却什么都没有留下。这里没有任何东西可以留下来做个念想。

我该怎么和他的父母解释这里发生的一切？我自己能不能活着回去呢？几分钟后，我还是静静地盯着埃里克曾站过的地方，一遍又一遍地擦拭着泪水。我试图忘记这一切，忘掉我的右胳膊上的发射器。我不停地拍打着自己的脸，希望这一切只是一场梦。

"兄弟，你盯着什么看呢？"

我猛地抬起头，循声望去。"埃里克？真的是你吗……我以为你已经……可是我刚才明明看见你……"

"是的，我刚才被消灭了。"

"那你怎么又回来了？等一等，我没搞明白。你没有死吗？"

"当然没有，你说的都是什么啊。这只是电子游戏。我只不过又回到这一关开始的地方。"

我用奇怪的眼神看着他。

"等等，你不会以为我真的死了吧？"

我依旧上下打量着他。

"你想多了吧？游戏世界里怎么会真的死人！难道你在电子游戏里损失了一条命，就不能继续玩了吗？当然不是啦。只要重新从这一关开始玩就可以了，就相当于从头再玩一次。你看看我，毫发无伤，不是吗？"

埃里克说完，把发射器对准了我。我睁大眼睛，他这是要干什么？

"啊啊啊啊，别啊！"

轰！

就这样，我发现自己回到了刚才的峡谷里，我正在和外星人对战。嗖的一声，埃里克也来了。就在一瞬间，埃里克射中了外星人。

"快跟上我。"埃里克说着，快速沿着山路向山上跑去。

"等一等。"我拦住他问道，"你得和我说清楚，这是怎么一回事啊？"

"啊，对了！"埃里克眼睛都亮了，"这是不是超级棒的体验？是不是不可思议？这一切居然真的发生了！"

"不是！绝对不是！天哪，这都是真的吗？"

埃里克耸了耸肩，说道："我感觉是真的。今天下午，我终于把游戏打通关了。在最后显示得分和排名的时候，电视屏幕上突然出现了弹窗，提示我可以解锁实战模式。我当然想试一试，于是就选了'确定'。后来的事你都知道了，我和你一样到了这里。"

"那你是怎么给我发信息的呢？"

"什么？"

"我是说你进入游戏后，怎么还能发信息呢？"

"等会儿再说。"埃里克把我拽到了一个小山洞里，"你看我的。"他朝外面的雪地里射了一枪，说这样可以吸引外星人。没过多久，果真来了一个外星人，然后两个、三个……一共来了五十多个。

它们拼尽全力想要抓住我们，但是洞口太小了，它们一个都进不来。这时候，埃里克调整发射器，对准这帮外星人开了一炮，它们一瞬间全都消失了。伴随着耀眼的火花，一阵提示音传来，随即空中出现了一个机器零件。埃里克高声欢呼着跑过去，把那个零件固定到了自己的发射器上。

"现在我可以发射榴弹了。"他高兴地嚷着。

"真不错。现在你可以回答我的问题了吧？"

"我感觉你还是没搞清楚状况。这款游戏真的太棒了！"

"没搞清楚状况的人是你吧。我们被困在了一个到处都是外星人的世界里啊！"

"其实，我们并没有被困在这里。"埃里克说着，又开始往前走。

"真的吗？"

"当然。要是进得来出不去，我怎么会喊你过来呢。"

"那我们接下来要怎么做？"

轰！轰！我还在耐心地等待埃里克的回答，他却朝着两棵大树发射榴弹。榴弹闪着火花，飞到了树梢上，转眼间树冠就消失了。埃里克满意地点了点头。

"每一关结束后，都会有一扇通向现实世界的传送门。在这个游戏世界里，我之前已经闯过了两关，就想回去后告诉你这件事。但是，我太了解你了，知道说什么你也不会跟我来这里。你就像个小孩一样……"埃里克一边说一边干掉了刚才害他损失一条命的外星人，"所以我只能想办法让你自己过来。"

他扭过头来冲我笑了笑，问道："怎么样，感觉不错吧？"

"我感觉糟透了！"

埃里克听了很失落："你说什么啊？"

"什么叫'你说什么啊'！我完全不知道这是怎么一回事，而且……"我说到这里的时候，埃里克朝我身后开了一炮，解决了一个跑过来的外星人。

"突然之间我就到了这里，还出不去。我甚至还吐了，你不知道我有多难受……"

埃里克一边听我说，一边伸出胳膊发射了两枚榴弹，炸掉了左边两个偷偷靠近的外星人。

"然后就来了个中士，冲我一顿嚷嚷，还让我干些奇奇怪怪的事情……"

"那是新手教程。"埃里克打断我，说道。

"什么？"

他把发射器朝向天空，开了一炮，一个飞着的东西掉到了他的身后。

"就是教你怎么玩游戏的教程。那个中士不是真人，只是个设定好的程序。"

"爱是什么是什么吧。现在所有的东西都来追咱俩，可是我的数学作业还没写完呢，周一就得交了啊！"

"听我说，"埃里克一边发射榴弹一边说，"我懂，你现在肯定有点儿接受不了。"

"那些外星人要吃我！"

"现在不会了，有我呢。这游戏我熟着呢。只要你跟紧我，保证一点儿事也没有。说不定你也能玩个痛快。"

我生气地瞪着他。

"你来发射榴弹，感受感受，怎么样？"

我更生气了。埃里克把榴弹装置从发射器上卸了下来，安装到我的发射器上，说道："你试着发射一下。"

我按了一下，只听轰轰两声，两枚榴弹从我胳膊上的发射器中发射出去，正好击中一个正在悄悄靠近我的外星人。这个外星人躲在暗处，我还没注意到它，它就被我消灭了。

"感觉不错吧？"埃里克开心地问。

确实，这感觉真不错。

"嗯！"

"快跟我来，我们要把这个营地里的外星人全都消灭了。"埃里克说着，跑到了前面。他一边大喊着，一边射击，顺利完成了这一关的任务。我只需跟在他后面，时不时发射枚榴弹。消灭掉最后一个外星人后，我俩已经累得上气不接下气了。

"就是这儿了。"埃里克说完，带着我穿过外星人基地，走进了一个房间。这里有三扇发光的传送门：一扇上面写着"再玩一次"，一扇上面写着"回家"，还有一扇上面写着"第二关"。

"好了，你想玩就自己接着玩吧。"我一边说着，一边走向写有"回家"的那扇门。

"等一等，"埃里克一把抓住我说，"你不想继续闯关吗？"

"不想！我说了，我要回去。"

"再玩一关好不好？"

"不好。"

"下一关是去夏威夷。"

"不好意思，我哪儿也不想去。"

"下一关有喷气式飞行器。"

我停住脚步，斜眼看向他。

"喷气式飞行器！"埃里克强调。

我俩就这样对视了一会儿，他不住地点头，期待我肯定的回答。我眯着眼睛沉思。最后，我无奈地翻了个白眼："好吧，再玩一关，最后一关。"

"好！"

于是，我俩打开了写着"第二关"的那扇门。

这绝对是我这辈子做的最错误的决定。

05
空中翱翔

"想必不用我说，你也知道喷气式飞行器有多酷炫。"

这是进入第二关后，埃里克和我说的第一句话。我们来到了一条瀑布的顶端，他直接把我带到一台不停旋转的飞行器前面，催促道："来吧！系好安全带！"

我按他说的，背好飞行器，努力抑制住自己内心的兴奋之情。这绝对是我人生的高光时刻。然后，我佯装随意地问道:"好了,然后呢?"

"从这里跳下去。"

"你说什么?"

"从瀑布顶端跳下去。"

我朝下面望去,这里少说也有六十米高。

"不,不,不。我就在这儿不行吗?"

"当然可以,但是跳下去更刺激。按住右边的按键,你就可以起飞了。开始闪的时候就赶紧降落。"

"等等,什么是'开始闪的时候'啊?"

"没错,闪了你就降落!现在出发吧!"埃里克说完,就把我从瀑布顶端推了下去。

我在游乐场体验过一次高空跳水。那是去年的事了,当时埃里克软磨硬泡,我才同意和他爬到跳台上。但是上去后,我又改主意了。见我这样,埃里克"帮"了我一把——把我推了下去。我脸朝下落入泳池,肚皮当时就撞红了,印子一天后都没有消失。当时游乐园的保安把埃里克赶了出去,我也对着他的肚子一顿狂揍,好让他体会一下我的感受。尽管这样,他还是笑话了我整整一周。

现在简直是昨日重现。我又要落水，而埃里克还是在高处笑。要是我能逃过这一劫，可有他好看的，这回绝对不是打他几拳那么简单了。眼看就要掉到水里了，我努力回想着埃里克刚说的话。现在要不要按右边这个键？不行，这可能是……

呼呼呼！

飞行器突然启动，我停止下坠，悬在半空中。这时候我才发现，原来周围是一片郁郁葱葱的森林，下面河流湍急，奔向远处的大海。一切都美得难以用语言来形容。这种岁月静好的状态只持续了不到一秒，我就开始尖叫，像失控的冲天炮。

"啊啊啊啊啊啊啊！"

我从埃里克身边飞过，他冲我竖起了大拇指："你已经飞得很好了！"

我飞得肯定还是有问题的。飞行器在空中疯狂旋转，我感觉又要吐了。我像一只正在放气的气球在空中乱窜了三十秒后，终于找到了驾驶的诀窍。接下来的几分钟大概是我人生中最惬意的时刻，我背着飞行器，翱翔在夏威夷的上空。还有比这更酷的事情吗?!

　　背着飞行器俯瞰夏威夷风光，实在是太棒了（我忍不住再强调一下）！这时候我有点儿飘飘然，早就把埃里克说的话抛在了脑后。没多久，我飞到了一座火山上空，距火山口一百五十米左右。这时，飞行器开始发出噼噼啪啪的声音。我扭头看去，想检查飞行器是不是没有燃料了。情况比我想的更糟糕，飞行器一闪一闪的，居然时有时无！惊恐万分的我赶紧找地方降落，但是太迟了，飞行器瞬间消失了。

　　"啊啊啊！不要啊！"我朝着火山口坠了下去。这一切都是埃里克的错。上次他把我从五米跳台上推了下去，这次又要害我掉进滚烫的岩浆。眼看就要掉进去了，我的眼前突然一片白茫茫的——神奇的事情发生了，我居然又回到了瀑布顶端，旁边是埃里克。

　　"是不是感觉棒极了？"

　　"你就不能提前告诉我，飞行器开始闪表示它要消失了吗？"

　　埃里克笑了起来，也背上了一台飞行器。

　　"来吧！"

　　"我的飞行器呢？"

"稍等，它马上就会出现，五、四、三、二……"

我的飞行器又出现了，就在原来的位置。我们俩一起飞了起来。在空中，埃里克和我讲了第二关要完成的任务，大致就是外星人会从这里发起攻击，占领港口之类的。我几乎听不进去他的话，毕竟，我在飞啊，在夏威夷上空飞。

我们降落在一片荒无人烟的海滩上，那里停放着更多的飞行器。埃里克和我稍做停留，又飞到了空中。但是很快，就有两个像巨型黄蜂的外星人追了上来。我慌张地瞥了一眼，发现其中一个外星人正盯着我。

"这是什么怪物？"我高声问埃里克。

"这些都是小意思，它们没什么脑子。看我的。"说完，埃里克飞到了高处，在一个外星人身后飞了几圈，抓住机会给了它一炮。

"这我可做不到。"

"这不难。"埃里克解释道，"你要做的就是……"

就在他说话的工夫，剩下的那个外星人的眼睛突然发出了红光。

"埃里克，你快看，那是怎么回事？"

"快射击！赶快！"

我还没来得及按他说的去做，就被外星人眼里射出的激光击中了。

"啊！"我一声惨叫。

埃里克及时消灭了那个外星人，并抓住我安慰道："挺住啊。"

我们降落在一片黑色的沙滩上，至少在我看来这片沙滩是黑色的。在激光的刺激下，我的眼睛看到的一切都模糊不清，闪着红光。"给你，试试这个。"埃里克说着，递过来一个小箱子。

我伸手去接。手碰到箱子的一刹那，我的眼前出现了一道白光，视线也随即清晰起来，同时一股暖流涌入我的身体。

"天哪，这是什么？"

"医疗箱。你如果受伤了，一定要找到这东西，记住了吗？"

"记住了。"

"现在感觉怎么样？可以继续了吗？"

我冲他笑了笑，说："我们开始吧。"

接下来的时间里，我们和外星人战斗得如火如荼。我们不仅消灭了沙滩上的外星人巡逻队，还把收集到的激光发射装置安装到了发射器上。此外，港口的所有外星飞船都被我们击沉了。日落时分，我们降落到一处悬崖上，海浪在我们脚下翻涌。

"看到那边的小岛了吗？"埃里克问我。

我眯着眼睛望过去，回应道："看到了。"

"上面有些东西，更刺激、更好玩，要不要一起去探险？"

"是什么啊？"

埃里克没有正面回答，只是背上飞行器从悬崖上飞了出去，说道："你去看看就知道了！"

我叹了口气。经过长达五秒钟的思想斗争，我也背上飞行器，追了上去。"等等我啊！"

我努力想要跟上他，却总是差那么十几米。半分钟后，那座小岛看上去还是有好几公里远。"我们很可能飞不到那儿去！"我冲着前面大声喊道。

突然间，海面被巨大的阴影笼罩。然后，空中传来一阵尖厉的叫声。我循声望去，只见一只巨大的蝙蝠向埃里克俯冲过来。那家伙足足有一架飞机那么大，巨爪一下子就抓住了埃里克。

"小心！"

很快，我也被那只蝙蝠抓了起来。

06
勇战大怪物

　　大蝙蝠抓着我和埃里克，朝远处的小岛飞去。小岛的轮廓越来越清晰——它只有一座小院子那么大，岛中央长着一棵棕榈树。到达小岛上空之后，大蝙蝠一个俯冲，把我俩扔到了沙滩上，然后它一挥翅膀，飞走了。

　　我拍打着身上的沙子，问道："你知道我们会被蝙蝠抓吗？"

"当然了！"

听到这儿，我很严肃地朝埃里克走了过去。"我们得谈谈了，"我把手放到他胸口，"你不能总是瞒着我，吓我一跳啊……"

我话还没说完，就看到埃里克被笼罩在阴影之下。这回又是什么呢？我慢慢地回过头。

只见一只巨大的怪物就站在我身后。真是怕什么来什么。

怪物越来越高——一开始只有一层楼那么高，然后变成两层楼高，最后像一座高楼一般。它目露凶光，嘴里长满了獠牙。

我指了指怪物，问埃里克："这是什么啊？"

"这一关的大怪兽！"

"什么意思？"

"在电子游戏里，每一关都有一个大怪兽，我们必须打败它。"

"你胡说什么呢，我们怎么可能打败这个家伙。"

埃里克冲我翻了个白眼，说道："它的肚子和后背上都有一块发光的区域。只要朝那里射击的次数够多，我们就能把它消灭掉。消灭掉它之后，这一关也就结束了。那三扇传送门又会出现。"

"那就好，我已经等不及想回家了。家里可没有人糊弄我，更没有人把我从瀑布顶端推下去。"

"随便你吧！"

"随便我就随便我！"

我朝怪物大步走去，它像电影里的大恐龙一样，突然开始咆哮。

"嘘，嘘，行了，我已经够害怕了。"我一边说一边朝它肚子上射击，"你想怎么样，吃了我吗？"我火力全开，又朝着它的肚子来了一炮。怪物摔倒在地，发出痛苦的叫声。但是没多久，它又站了起来。这一回它看上去更大了，也更生气了。

"来啊！来吃我啊！反正你也伤不到我！我还能回来和你继续打，因为我们都在电子游戏的世界里，电子游戏就是这么没意思！简直傻透了！"

"你快闭嘴吧！"埃里克在一旁大叫道。

"怎么了？"

"快别自欺欺人了，你明明玩得很开心。"

"你觉得我很开心是吗？你知道什么叫开心吗？"我说着，成功躲开了怪物扔过来的一个布满刺的沙球。（你肯定觉得奇怪，沙子怎么可能有刺？我也是这么认为的。所以说，电子游戏真是一点儿逻辑也没有。）

"和真正的朋友在一起，他会告诉我到底发生了什么事，让我自己做决定，那才叫开心！"

埃里克从怪物背后攻击，一下击中了它的后背，它又倒了下去。"你这是什么意思？你是说我算不上真正的朋友吗？"

怪物再次站起来的时候，变得更大了。我看不到它后面的埃里克，只能朝着怪物的肚子大吼，希望它后面的埃里克能够听见。

"我也不知道！真正的朋友应该彼此信任，不是吗？"

我听见埃里克把发射器开到了最大火力，我也赶紧照做。

"真正的朋友彼此了解。"埃里克说，"我这个朋友知道你不会找乐子，更不会做决定，有时候你就需要别人推你一把。"

"这么说来，你可能过于自信了，其实你根本没有那么了解我！"

说着，我朝怪物的肚子又开了一炮。在事先没有商量的情况下，埃里克几乎和我同时射击，正中怪物身上的发光区域。怪物的动作突然慢了下来，它先看了看我，又扭过头去看了看埃里克。它的脸开始不自然地抽搐，看上去有点儿搞笑。怪物把脖子转来转去，还发出断断续续的咆哮声，或者说它试图嘶吼几声。

嗡嗡嗡嗡嗡。

这像是割草机工作的声音。

嗡嗡嗡嗡嗡。

又是几声。一瞬间，怪物和小岛都消失了。原来的一切都不复存在，我们身处一个明亮的蓝色房间。墙壁上慢慢出现了几行字，就像是有人用键盘在打字一样。

错误代码2302。是否启动巴格其勒协议？

——是

——否

"终于到这儿了。"我问埃里克，"什么是巴格其勒协议啊？"

埃里克脸色煞白，回应道：

"我也不清楚。"

"什么叫'我也不清楚'？"

"以前从来没出现过这个对话框。"

"那我们选哪个啊？'否'？"

"可能吧。"

我走到墙壁前，点了一下"否"。

墙上的文字消失了。我和埃里克面面相觑，不知道接下来会怎么样。过了一会儿，刚才的对话框又出现了。

错误代码 2302。是否启动巴格其勒协议？

——是

——否

"看来我们没的选啊。"埃里克说。

他点了一下"是"，整个房间再次消失了。我们又回到了那座小岛上，周围是一片汪洋。但是这一次，没有怪兽来攻击我们。

"这有点儿奇怪。"我说。

"是呀，太奇怪了。"

眼前的沙滩上缓缓升起三扇传送门。

"不如我们从这儿回家吧？"埃里克问道。

我们一起走向中间的门，也就是写着"回家"的门。但是，当门完全升起来之后，我们却停下来了。有点儿不对劲。另外两扇门还跟以前一样，一扇闪着蓝光，一扇闪着紫光，只有中间这扇门没有闪光。

它是灰色的，还上着锁。

07
悼念日

"现在该怎么办？"

埃里克朝后退了几步："我……我也不知道。"

"我们被困在这儿了吗？"

"不会的，肯定有办法回去。"

"真的吗？"我朝紧锁的这扇门开了几炮，它没有任何反应。我又发射了一枚榴弹，它还是没什么变化。怒火攻心的我开始朝埃里克开炮，没一会儿，消失的他出现在了沙滩的另一边，我也大步走了过去。"这都是你的错！"说着，我又朝他开了一炮。他消失了一会儿后，再次回来了。

"现在我们该怎么办？"我说着还不忘补一炮，"没人知道我们被困在这儿了！"轰！"就算他们发现了，又能做什么呢？重新编写代码？把我们两个从系统里抹掉？"轰！"下周要去科技馆实地研学，我很早以前就想去科技馆了！"轰！"这……"轰！"都是……"轰！"你的……"轰！"错！"轰轰轰！我连开了好多炮。

自始至终，埃里克都耷拉着脑袋，任凭我炮轰他，一遍又一遍。

"对不起。"他终于开口了。

我看了他一眼，又给了他一炮。

"都是我不对，我应该问问你的想法，应该征得你同意再把你拉进来。"埃里克说着，一屁股坐在沙滩上。

我坐到他旁边："你是应该问问我。不过，这也是我自找的，是我同意继续闯关的。咱俩都有错。"

埃里克什么也没说，只是低着头，在沙滩上画了一张神情悲伤的脸。但是，他画得太难看了，那张脸看上去不像一张脸，而像一张做坏了的比萨。

"来吧，"我把他搀了起来，"我们一起找回家的路吧。"

我们进入了写有"再玩一次"的传送门，再次回到了这一关刚开始时那条瀑布的顶端。

"又回来了。"我说道，"我们进入游戏世界的时候，感觉就像是从空中掉下来，对不对？所以，我们要是飞得够高，是不是就能出去了？"

埃里克摇了摇头："不可能，我们的脑袋肯定会撞上顶棚。"

我抬头看了看晴朗的蓝天，问道："这位'乐观'的小哥，什么是顶棚啊？"

"真实的世界多大啊，根本不可能装到一个游戏里。程序员会让游戏世界看上去无边无际，实际上周围都是隐形墙，上面也有顶棚。这样一来，谁都不可能逃出去了。"

我想起来落基山那一关里确实有隐形墙。"好吧，说不定哪里藏了一扇传送门呢。"

埃里克耸了耸肩。

"出发吧，我们飞上去找找！"

我们把虚拟的夏威夷上上下下翻了个遍——它确实比我以为的小得多。一下午的工夫，我们就背着飞行器飞过了每一片雨林，每一寸沙滩，甚至连火山上都留下了我们的踪迹。哪里都没有找到传送门，我们又来到港口。那里有一艘没有上锁的飞船，我们想试一试能不能驾着它离开这里。这时候，埃里克突然问了一句：

"学校会不会为我们举办追悼会？"

马克·惠特曼是我们班的同学，上个月他突然失踪了。有人说，马克在暴风雨后跑到马霍宁河里游泳，淹死了。所有人都加入搜索马克的队伍，有的人甚至开船到河流下游，希望找到一些线索。

两周以后，马克还没有找到，学校决定为他举办一场追悼会。学校礼堂中摆放着一张马克的大照片。照片上，马克蓝色的眼睛看着我们。大家轮番上台，回忆追述他的过往。那天我们提前半天放学。我还是挺难过的。

"快别说了。"我打断埃里克，"我们不会有事的。"

"我是说，你没有告诉你爸爸妈妈你来我家找我了，是不是？"

我沉默着。

"我爸爸妈妈一般出去一两个小时就会回来，他们找不到我肯定会着急。我们在这里待了多久了？半天，还是一天？说不定他们已经开始找我们了。"

埃里克说得对。妈妈肯定担心我被绑架了，爸爸则会觉得她大惊小怪，以为我和埃里克躲到了树林里。我看了一眼埃里克，他都快哭了。"打起精神来，"我说，"我们去有怪物的岛上再看看吧。"

我们又从那处悬崖上跳了下去，飞过海面，好让大蝙蝠把我们抓住，带我们去那座小岛。正如我们所料，怪物正在那里等我们呢，这次我们并肩作战，没一会儿就把这个大怪物打败了。它嘶吼着，消失在沙滩上。在怪物原来站的地方，缓缓升起了传送门。但是，这次不是三扇门，而是四扇门。

"就是它！"我激动地指着第四扇门说，"打开这扇门，我们就能回去了！"

埃里克却摇了摇头，说："不是的，这扇门会把我们带到前面的关卡。"他又端详了一下写着"回家"的那扇门，叫道："等一下！快看看这是什么！"

我赶紧跑了过去。这扇门还是灰色的，上面同样挂着锁，但是锁上却写着"第二十关"。

"这是什么意思？"我问。

埃里克转过身来，露出了笑容："这个游戏一共有二十道关卡！"

"那又怎么样！"

"杰西，只要我们打通所有关卡，这扇传送门就能打开了！"

08
自由女神

　　我可不是那种喜欢搂搂抱抱的人，但是听到埃里克的话，我用这辈子最大的热情，给了他一个大大的拥抱。

　　"哟嘿！"

　　说起来，我们拥抱的姿势有点儿尴尬，我们胳膊上的发射器碰到了一起，发出咣当咣当的声音。但是，这又有什么关系呢？我们打开了通往第三关的传送门，又在一片黑暗中坠了下去。我大概是习惯了，几乎没有那种想吐的感觉了。刚着陆，我就四处打量新环境，发现自己就站在自由女神像下面。

"好了，告诉我这一关有什么吧。"

"这一关特别有意思！"埃里克兴奋地说，"纽约市的外星人把我们困在了这座自由岛上。但是，它们不知道的是，反抗联盟已经把自由女神像改造成了一艘火箭！我们要把那些外星人都引到自由女神像上面，等它们都爬上去，在火箭发射的前一秒我们再利用飞行器离开。这艘火箭就会把外星人送到月球上去！"

我听了，惊得张大了嘴巴，过了半天才憋出来一句话："好吧，这听起来也太荒唐了。我跟你一起闯关，前提是你不许再拿我收集棒球卡的事情来笑话我了。"

埃里克只是咧着嘴笑："这太酷了，不是吗？"

"自由女神像变成了火箭，你说这个酷？这一点儿也不酷，这叫犯傻。"

埃里克耸了耸肩："仁者见仁，智者见智。"

"那我们要怎么做呢？"

"这一关的任务有一个难点，就是在自由女神像的顶端只有一台飞行器。等不到第二台飞行器出现，自由女神像就会发射升空。"

"停一下。"我打断了他的话，"你不觉得自己说的话有点儿不合逻辑吗？'自由女神像就会发射升空'？仔细想一想，你就知道这根本不可能。"

埃里克翻了个白眼继续说："这样吧，我先跑过去把门打开。五分钟后，你就拉响警报，把外星人吸引过来。它们肯定会追你，你就用最快的速度爬到自由女神像顶端。我背好飞行器在那儿等你，然后我们一起飞离这里。可以吗？"

"当然可以了。我一直想看看自由女神像载着一堆外星人飞往月球是什么样子。"

埃里克笑了："我明白，我也想看看！"

话音刚落，他就跑进了自由女神像里。过了五分钟，我按动了门旁边的红色按钮，上面赫然写着"警报"两个大字。

嘀呜——

嘀呜——

嘀呜——

一阵刺耳的警报声响起，自由女神的眼睛也随即发出了红光。没一会儿，外星人就闻声赶来，从四面八方涌向这座小岛。海面上有各种奇奇怪怪的外星人——有之前见过的像螳螂和黄蜂的外星人，还有我没见过的外星人，比如像没长好的变形金刚和像可以伸缩的螺旋弹簧怪的外星人。外星人越来越多，我奋力迎战，杀出了一条血路。

几年前，我们全家曾去纽约度假，那时候我参观过自由女神像。所以，当我往里面跑的时候，自以为对里面的情况了如指掌，毕竟我来过啊。但是，刚跑进去，我就发现不对劲了。游戏开发者肯定是对这里的场景进行了"自由发挥"，自由女神像里面的大厅和旋转楼梯都不见了，取而代之的是一连串精心设计的平台和绳索。

"没搞错吧？"我一边抱怨，一边爬上了最下面的平台，然后往上一跳，到了大厅中间的火焰雕塑上，顺势又跳到了第三层的平台。借着绳索，我荡到了第四层的平台。但是，问题出现了——再高一层的平台在另一边，我根本过不去。我犹豫着，不知道要不要回到最下面，重新找一条往上爬的路线。可是，我往下一看，下面已经挤满了外星人。一拨又一拨的外星人进来了，它们争先恐后地向上爬，离我越来越近了。如果从上往下看，它们就像是汹涌的波涛，要把我吞没了。再不逃跑，我就没命了。看着下面蠕动的怪物，听着它们的阵阵嘶吼，我安慰自己，就算掉下去也没什么大不了的，我还能回到这一关开始的地方。但是，我还是很害怕。

我深吸一口气，想让自己冷静下来。这时候，那名中士说过的话突然回响在我的脑海里。"好了，小子，"中士曾这么说，"要是地面有个大坑，你可以往那儿开一炮，然后借着炮弹出膛的力量跨过去。"

"你到底在说什么啊！"我记得当时自己还冲中士叫喊来着。

现在，我终于明白了。我又深吸了一口气，用尽全力往前跳，与此同时朝下射击。我成功了！炮弹的反作用力把我推到了另一边的平台上。接下来的时间里，我不停地向上爬啊、跳啊。外星人越来越多，我却越战越勇。在体育课上，我一直做不好引体向上（坦白讲，我根本不会，只能像根面条一样挂在单杠上），但是现在有了带发射器的胳膊，我似乎也有了神力，轻轻松松就能爬上一层又一层平台。

终于爬到了自由女神像的顶端，我不得不承认，这真的很有意思。这里有一扇门，我打开门沿着楼梯跑了上去，楼梯通往自由女神的王冠。"我来了，埃里克，把这个大火把点着吧！"（我真不知道自己是怎么喊出这么一句话的，我在现实生活中从来不会这样说话。不过，"把这个大火把点着吧！"听上去就像电子游戏里的英雄应该说的。）

跑过楼梯拐角，我突然停了下来。埃里克就站在那里，身上背着飞行器。但是，他正对着我，举着发射器。而且，他还戴了个防毒面具一样的东西。

还有，他的胳膊也变了样——又细又长，还是灰色的。

09
再见

　　埃里克，或者说我面前的这个面具怪——伸出右手，朝我挥了挥五根纤细的手指，和我再见。我充满疑惑地看着眼前的"朋友"，甚至都没有注意到它已经将发射器瞄准了我的眉心。好在它的注意力很快被别的什么吸引了过去，我随着它的视线看过去，发现在我旁边闪着光的金属墙上好像有个影子。仔细看，能看清那是一个箱子，里面伸出来一条胳膊，正努力挥舞着。眼前的面具怪把发射器对准了那个影子，一道激光闪过。

刺！

同时，埃里克从箱子里跳了出来，径直向我跑来。面具怪追着埃里克一顿射击。我想它应该是要干掉埃里克，只不过它的每一枪都只打中了埃里克的影子。

刺！

真正的埃里克跑了过来，正好撞到我的肋骨上。"哎哟！"我大叫。

那个面具怪冲着我们又是一枪。

刺！

埃里克炸开了我们旁边的窗户。我感觉脚下的地面在晃动，火箭可能就要起飞了。透过破碎的窗户，我确定了，火箭真的起飞了。

"快点儿跟上！"埃里克嚷着，从窗户跳了出去。

我想告诉他，这个时候我们真的很需要飞行器。话还没出口，那个面具怪就滚到了左边，要冲我射击。我没有选择，只能跑向窗口，深吸一口气，然后跳了下去。

刺！

　　这一跳真是让人喜忧参半。好消息是那个面具怪没有追上来，坏消息是我又开始从高空坠落，这感觉就像要死了一样。自由女神像从我身边呼啸升天，里面有成千上万个外星人，它们哀嚎着、嘶吼着，似乎对这趟免费的月球之旅并不满意。我突然看到自由女神像的王冠处，有个什么人背着飞行器飞了出去。

"这回又怎么了？你又有什么没有告诉我？"我们此时出现在自由女神像旁边的水里。

埃里克浮在水面上，摇了摇头："我也不知道那个戴面具的是什么怪物。爬到自由女神像顶端后，我听见后面有声音。当时我就想，肯定是你不听指挥，跟着我上来了。于是，我藏到了箱子里，想要吓你一跳。但是，过来的不是你，而是这个戴面具的奇怪家伙。"

"等一等，你在游戏里没碰到过这样的外星人吗？"

"从来没有。"

"那就太奇怪了。"

"是呀，非常奇怪。这个家伙对箱子左捅捅、右看看，大概是想把我找出来。于是，我就一直藏在箱子里没敢动。它估计是找不到我，就自己背上了飞行器，等着你上来。我想也许没有飞行器我们也能成功，就没有出声。我打算躲在箱子里，等你来的时候再提醒你从窗户跳出去。"

"什么意思？你在箱子里挥手，是要告诉我从窗户往外跳吗？"

"当然了，多明显的暗示啊！"

　　我眯着眼看向他："那真是对不起了，我还真不知道挥手的意思是'从自由女神像上跳下去'。"

　　"不管怎么说，一切都还不错，不是吗？"

　　"随你怎么说。我们快接着闯关吧，不然又会有更多奇奇怪怪的外星人出现。"

　　"是的，我们开始吧。"

　　我们说着，朝自由女神像游了过去。说起来，我俩算不上游泳健将，胳膊上还都有发射器，所以我们不仅游不快，还把水溅得到处都是。这可能是人类历史上最可笑的游泳姿势了。好不容易到了岸边，我们甩着身上的水，朝着原来自由女神像的位置走了过去。几扇闪着光的传送门已经立在那里了。

　　埃里克走在前面，打开了通往第四关的传送门。

　　呼呼呼！

　　我也紧随其后。

　　呼呼呼！

　　在一片黑暗中，我很确定自己听到了什么声音，还有一个人跟在我们后面，也进入了这一关。

　　呼呼呼！

10
埃里克队长

"我来驾驶这个吧!"

"驾驶什么啊?"我说着,向四周看去。不知道这次
我们又进入一个什么样的世界里。

天哪,这儿居然是一片沼泽!一片又黏又臭的沼泽!
我抬起右脚,一坨黏糊糊的东西淌了下来,真是太恶心
了。更糟糕的是,我脚下的泥浆足足有十多厘米深,也

就是说我的双脚要一直在这里面陷着。我能在雪地里逃命，我能在火山上空战斗，我甚至可以向一座楼房那么高的怪物射击，但是想到这一关袜子都是湿的，实在是受不了。

"我是说，我来驾驶！我先说的！"埃里克的袜子没有湿，他没有被传送到泥浆里，而是站在一辆足足有三米高的十分前卫的大坦克上。埃里克声嘶力竭，想要抢先占这个好位置。

"不行，那不可能！再说这种东西在沼泽走不了两分钟就会陷进去。"

"我这辆可不会陷进去！"埃里克喊着，一头钻到了坦克里面。也就过了五秒，坦克轰隆隆启动了。

嗡嗡嗡，轰轰轰。

只见坦克的底部抬升起来，原来下面还有四艘小火箭呢。

埃里克把脑袋探出来，问道："怎么样，是不是超酷？"

"太酷了！我也想开开试试！"

"是我先说的，你现在说什么都晚了。但是，我可以让你负责开炮！可刺激了。"

我揣着手，有点儿不高兴地应道："那好吧。"

突然，埃里克睁大了眼睛。他抓住炮筒，朝我后面扫射了一圈。我回过头来，只见一条五米多长的大鳄鱼从沼泽里跳了出来，还没来得及扑向我，就在炮击下变

火力全开
飞行坦克

交通工具

操作说明

移动	火箭推进器	开炮	躲闪
	长按 A	轻按 B	轻按 L 轻按 R

成一道光，消失不见了。我不得不承认——这真够刺激。

"你还上不上来？再不上来外星人就要把你吃了！"

我瞥了他一眼，在沼泽中扑通扑通地走了过去，爬上了坦克。

"这就对了！"埃里克向我行了个礼，"欢迎你登上我的战舰，请叫我埃里克队长。"

"你的战舰？你早说我就不上来了，我宁愿和大鳄鱼大战一场。"

"不能这么和你的上级说话，大副杰西。"

我把炮筒转向埃里克，冲他开了一炮。埃里克消失了几秒钟，然后又出现在驾驶座上。

他点了点头："我尊重你的意见。"然后，他就开始研究开关，胡乱按了一通之后，抓住方向盘，说道："让我们来见识一下它的威力吧！"

这辆坦克百公里加速仅仅用了四分之一秒。

"啊啊啊啊！"坦克速度太快了，我控制着炮筒的胳膊差点儿断了。只听吧嗒一声，我被甩回了沼泽里。现在我不光袜子湿了，连裤子也湿了。

我再次爬到坦克上，抱着炮筒对埃里克说："你看着点儿，队长。"

这回他没有那么快加速，但驾驶着这么大一辆坦克，他还是优越感爆棚，开始来回转圈。我们就这样踏上了新一关的征程。埃里克只顾开着坦克四处乱转，不管我怎么努力，也瞄不准那些外星人。这时候我才明白，为什么法律规定十八岁以下的人不能开车上路。而且，十岁的孩子绝对不应该开坦克。

"你能不能走直线啊！"

"我也想走直线啊！"

咣当！

"别再往树上撞了！"

"又想走直线又要绕开树，你这要求有点儿多啊！"

我叹了口气。一条大鳄鱼从沼泽里跃了出来，一口把我们吞进了肚子。我俩又回到了这一关的起始点，这已经是第四次了。

"快躲开。"我说。

"别啊，等一下，我可以……"

"快躲开。"

埃里克怒气冲冲地和我交换了位置。我忍不住笑着和他说："欢迎你登上我的战舰，请叫我杰西队长。"

他听到这个，立刻给了我一炮。我俩又一次回来开始闯关了。我开坦克的技术比埃里克也强不了多少，但是他真的太擅长射击了，所以我俩就这么配合着，打得很顺利。每干掉一个外星人，埃里克都会欢呼一声。我也差不多，只要能把坦克开到掉落的树枝上，让坦克平稳行驶一会儿，就会激动地喊出声来。我感觉棒极了，真的是火力全开！要是开车也像开坦克一样好玩，大人们开车时应该就不会总是苦着一张脸了。

树林越来越茂密，我们来到了一片封闭沼泽中，周围一片漆黑。

"现在我们怎么办？"我问道。

"该对付这一关的大怪物了。"埃里克说。

"我们看不见它吗？"

"它是一条眼睛能发光的大鳄鱼，它一出来，眼睛就会把周围照得很亮。"

"这也太刺激了吧。"

我们静静等了一分钟，沼泽里一点儿动静都没有。

"嘿，埃里克。"

"怎么了？"

"这个大怪物够沉得住气的啊。"

"该出现了吧，它总是很快就跳出来。"

"是不是我们得找把钥匙，解锁一下？"

埃里克的声音中充满了鄙夷："用什么钥匙啊？钥匙能帮我们在沼泽里找到鳄鱼吗？你说的话一点儿逻辑也没有。"

"是我不对，真不好意思。一个把自由女神像变成火箭发射到月球的游戏还有什么逻辑？"

"随你怎么说。我们快回去看看，是不是漏掉了什么。"

我调整坦克方向，在漆黑的沼泽中缓缓地开了回去。突然，头顶传来一阵西西的声音。

西西西西西西西。

"有什么在上面吗？"我问。

"我也不知道啊。"

西西西西西西西。

"嘘，你听。"有东西正在发出西西的声音。或者说，有一堆东西在发出什么声音。

耶耶西西西西西西西。

"耶西？"我转向埃里克，"这是在说什么呢？"

埃埃埃埃埃埃埃里里里里里克克克克克克。

队队队队队队队长埃埃埃埃埃埃埃里里里里里里克克克克克克。

我紧张得胃部一阵痉挛。队长埃里克？杰西？这是在喊我俩啊。

11
加速逃跑

还有什么事比在漆黑的沼泽中听到外星人喊你的名字更恐怖吗?

没有!

没错,这是最恐怖的事情了。

耶耶西西西西西西西西西西。

埃埃埃埃埃埃埃里里里里里克。

耶耶西西西西西西西西西西。

埃埃埃埃埃埃埃里里里里里克。

埃里克也吓坏了，朝着四周疯狂开炮。这并没有任何作用，相反，那声音似乎更大了。

耶耶西西西西西西西西西西。

埃埃埃埃埃埃埃里里里里里克。

我赶紧掉转坦克方向往回走。坦克缓缓地驶入鳄鱼出没的区域，我俩谁也不敢发出一丝声响。后来，周围更暗了，几乎什么都看不到了，而那个声音也越来越近。

耶耶西西西西西西西西西西。

埃埃埃埃埃埃埃里里里里里克。

埃里克吓得把手放到了我的肩膀上，我轻声安慰他："没关系的，兄弟，我们一定能想到办法离开这里。"

"但是，什么办法啊？"

埃里克的声音好像是从远处飘来的，并不像是他陷入了沉思。我感觉他在距离我一米开外的地方，但这是不可能的啊。我低头看了看搭在我肩膀上的手。随着眼睛对黑暗的逐渐适应，我大概可以看清楚手的轮廓，这手可比埃里克的手大多了。

"埃里克？"

一张脸凑了过来，居然是一张大人的脸！只见这个人伸出一根手指，冲我做了个"嘘"的表情。

我可没听他的，相反，我惊声尖叫起来。

"啊啊啊啊啊啊啊！"

那奇怪的声音突然消失了。漆黑的沼泽中，出现了一双发光的眼睛，照亮了我们的坦克，也照亮了坦克上的我和埃里克。埃里克也尖叫起来。同样被照亮的，还有一个愤怒的男人，他一把将我从驾驶座上拽了下来。这时候我才看到，沼泽早已被外星人军团围得水泄不通。借着亮光，我还看到了外星军团的首领——就是上一关的面具怪。

那个男人用力一拉操纵杆，坦克朝着外星人军团加速驶了过去。这时候，那条两眼放光的大鳄鱼，已经张开大嘴，准备迎接我们了。

"抓稳了！"那个男人冲我和埃里克喊道。眼看我们就要被鳄鱼咬住了，就在这危急的时刻，他狂按一通按钮，坦克做了个翻滚动作，又从鳄鱼嘴里绕了出来。毫不夸张地说，晚一毫秒，我们就完了。

"你怎么不早点儿告诉我,我们的坦克还能做这种特技啊!"我冲埃里克嚷道。

"我也不知道啊!"

从鳄鱼口中脱险之后,我们还要摆脱它身后的外星人军团。

"千万别开枪!"那个男人命令道。

要做到这点可不容易。那么多的外星人追了上来,它们争先恐后地抓住坦克,想要爬上来。好在它们还没得逞,我们的驾驶员就找到了一块木板,用这块木板当作坦克的跳板,并在半空中激发了火箭推进器,坦克瞬间变得和导弹一样快。我们驰骋在敌人的头顶上,坦克又做了个翻滚动作,那些抓着坦克不放的外星人都被甩了下去,我们暂时安全了。坦克又降落在沼泽中,溅起一片片泥浆。坦克朝着这一关最开始的地方开了过去,后面是穷追不舍的外星人军团。

我和埃里克驾驶的坦克简直就像横冲直撞的疯牛。这个男人就不一样了,他不仅能平稳驾驶坦克,还能娴熟地应对随时出现的危险。面对突然出现的大鳄鱼,他驾驶着坦克,时而拐弯,时而急转,时而翻滚,总之都

能安全避开大鳄鱼，仿佛这一切都在他的预料之中。但是，我们的敌人可不止这些，后面的外星人越来越多，很明显敌人占了上风。

眼看它们又要爬到坦克上来了，我们的驾驶员猛地一转方向盘，带着我们拐进了一条小路。之前我并没有注意到这里还有一条路。路的尽头是一片小沼泽，再往前就无法通行了。我们被困在了这里。想要逃脱，唯一的希望是和刚才一样，从外星人大军头顶上飞过去。可是驾驶员似乎没有考虑这些，反而加速朝前开，朝着沼泽尽头的岩石撞了过去。

"啊啊啊啊啊啊！"我和埃里克尖叫着闭上了眼睛，并紧紧抱住了对方，想要缓冲一下即将到来的撞击。

奇怪的是，坦克并没有撞上岩石，而是径直穿了过去。

我缓缓睁开眼睛，坦克没有爆炸，也没有变成火球，而是在黑暗中——黑得伸手不见五指——继续前进。我甚至看不到下面的路，只能依稀看到上方的天空，但天空也很奇怪，好像是沼泽的底部一样。难道他带着我们，来到了这一关场景的下面了吗？

坦克继续行驶了几分钟，我们终于冲破了黑暗。眼前的世界里没有沼泽，还是夏威夷的那条瀑布。驾驶员还是没有减速，继续朝着大海开去。

我们又到了第二关场景的下面。我们从布满常青藤的墙中驶了出来，到了芝加哥的瑞格利球场。就这样，那个男人疯狂地开着，带着我们沿着秘密小路，穿过了一关又一关——金门大桥、内华达州的沙漠，以及大西洋城的海滨木板路。

最后，在科罗拉多大峡谷，坦克终于停了下来。从听到外星人喊我们的名字开始，周围一直出奇安静。驾驶员停好坦克，回过头来，似乎要和我们说点儿什么。但是，他刚要张嘴，面具怪就跳了出来，从后面勒住了他的脖子，把他拖到了地上。

我举起手上的发射器。驾驶员的眼睛瞪得大大的："不要……"

我还是开火了。

一切似乎都慢了下来。只见那个面具怪朝后一仰，躲开了炮弹。眼看着炮弹就要从它头顶飞过去了，那个家伙又抬起手，伸出了一根手指。手指瞬间就被打没了。我们还没来得及搞清楚发生了什么，一切又恢复了常态，面具怪也回到了原来的姿势。它看了一眼我们，用剩下的四根手指挥了挥手，然后就飞到了天空上。

我们的驾驶员呢，刚才还被外星人拖到了地上，现在也站了起来。他不停地摇着头，说：

"你不知道自己干了什么蠢事。"

12
源代码

驾驶员带着我们，把坦克开到山洞里停好。

"好了，杰西、埃里克，你们在这里做什么啊？"

埃里克扬起胳膊，惊呼："为什么这里的人都知道我们的名字！"

眼前的男人疑惑地看着埃里克："我和你们在同一所学校，当然知道你们的名字了。"

"没见过你这么个老师啊。"

"我不是老师，是你们的同班同学。"

我才注意到，他有一双漂亮的蓝眼睛。我这辈子只见过一个人有这么一双眼睛。

"你是马克？马克·惠特曼？"

对方冲我笑了笑："就是我啊。"

眼前这个人是马克·惠特曼，我还能看出他和小时候有一些相像。有的人失踪后，家人会制作一些海报，上面是想象的他几年后的样子。这样别人看了，就能认出他了。眼前的马克看起来似乎就是家人想象中的几年后的样子，只不过他现在还长了一身肌肉，胳膊上还有一个发射器。

埃里克还是有些反应不过来："可是，可是，不可能，你不是淹死了吗？"

马克竖起脑袋，问："谁淹死了？"

"大家都以为你在河里淹死了。"

"真的吗？谁会在暴风雨过后跑到河里去游泳啊。"

"就是的！"

"我没去游泳，而是一直在玩《火力全开》，然后被困在了这里。"

"我们也是！"

"原来是这样。但是，为什么你们还是原来的样子？"

我们面面相觑，不知道怎么回答这个奇怪的问题。最后，还是埃里克先张了口："为什么你长大了？"

"我已经在这儿待了二十年了啊。"

听到这儿，埃里克差点儿从坦克上掉下来。

"什么？你不是才失踪了一个月吗?！"

"你说什么呢？"

埃里克和我把马克失踪后发生的事情悉数讲给他听——在河滩的搜索、学校里的照片，还有他的悼念日。

"这么说来是因为我，你们才能放半天假？"

"是的，不过，大家并不为这个高兴，都为你离开而难过。"

"你确定我仅仅失踪了一个月吗？"

我和埃里克一起点头。

"这真是个好消息！这说明和游戏世界相比，现实世界中的时间走得慢多了。要是我们能想办法出去，那我们的爸爸妈妈还是原来的样子，不会变成老头老太太！"

这回换成我问问题了："你说'要是我们能想办法出去'是什么意思？"

马克将坦克转了过来，说："来吧，我带你们看点儿东西。"

我们穿过山洞后面的墙，时而直行，时而急转，过了一关又一关。马克告诉我们，所有电子游戏都有一些程序漏洞，经常出现在没有做好的墙或场景里，有些被称作"速通者"的玩家会专门去寻找这些漏洞，通过它们刷新最快通关纪录。在过去的二十年里，马克找到了《火力全开》中所有的游戏漏洞，还在游戏场景下面建造了自己的家。在那里，他不会受到任何外星人的打扰。

最后，我们又来到了内华达州的沙漠，也就是这一关的起点。坦克沿着沙漠的边缘行驶。突然间，马克往左转了一下方向盘，我们穿过一堵隐形墙，进入一个隐形洞里。坦克继续向前开，这个洞似乎没有尽头。过了至少十五分钟，我们眼前出现了一幢黑色的建筑。它看上去像个仓库，一个有好几千米长的仓库。

马克从坦克上跳下来，说："快跟我来。"

他推开一扇大推拉门，门发出吱呀吱呀的声音。他带着我们走了进去。里面的灯自动亮了，照亮了一条路。路的两旁是一排又一排的档案柜和电视（都是很古老的显像管电视），还有一些废弃的金属零件。

"这都是什么啊？"我问。

"这就是源代码。"马克在前面边走边说，"这个游戏所需要的文件都放在这里。"

"太棒了！"埃里克说，"那我们就能利用这些文件逃出去了，对不对？"

马克摇了摇头说："我已经找了很久，没有可以帮我们逃出去的漏洞。别指望从游戏世界逃出去和在电脑上用快捷键打开任务管理器一样简单，根本不可能。经过这么多年的研究，我发现要想出去，唯一的办法就是打通二十关。"

"有什么问题吗？"埃里克问，"我打通过，也没有特别难。"

马克走到路的尽头，停了下来。路周围看上去乱糟糟的，好像有人曾在这里翻箱倒柜，想要找什么东西。这里的灯光都显得很昏暗。墙上随意贴着许多文字卡片和图片，并且都用红线连起来，就像刑侦电影里演的一样。

马克指向那面墙，说："那就是我们的问题。"

在墙上——也就是那些文字卡片、图片和红线上面，有人用喷漆潦草地写了六个大字。这六个字我们之前就见过。

"巴格其勒协议。"

字的下面，挂着一副熟悉的面具。

13
巴格其勒协议

"什么是巴格其勒协议？"我一边问，一边顺着这些红线看文字卡片和图片。

马克说："就是这个东西，它让我们不能活着出去。"

他说着，随手打开了一部老电视。电视上播放着夏威夷那一关的场景。"当你们利用飞行器完成任务的时候，有没有注意到周围的细节？这里有很多树，但你们知道有多少种树吗？这里一共有六十七种树。试想一下，六十七种树！每种树上都有几千片叶子，风一吹每片叶子都以不同的姿态摆动。还有，你们注意到这里的蟋蟀了吗？这里不光有蟋蟀的叫声，还有真的蟋蟀，甚至还有苍蝇和蚊子。电子游戏中做出这么多细节，你们知道有多难吗？"

"特别难吗？"埃里克问。

"不是难，"马克解释道，"是几乎不可能。"

"好吧，那为什么……"

"我之所以这么说，是因为就算有足够的时间给所有树和虫子进行编码，也会带来很多麻烦。因为游戏里装的东西越多，就越容易出错。"

"就会出现故障和错误，是吗？"埃里克问。

"没错。除了《火力全开》的开发团队，这个世界上其他游戏开发者都在想方设法蒙蔽玩家，让漏洞百出的游戏在玩家眼里看起来很完美。但这些家伙正好反过来，他们说要做出真正完美的游戏，为此他们做了这个。"马克拍了拍墙上的防毒面具，又按下了电视的一个按键。

电视上又开始从头播放夏威夷的那一关。但是这一次，镜头对准了一只蚊子。这只蚊子欢快地飞着，想要找个人喝上几口血。我们静静地看着电视里的蚊子，足足有一分钟（盯着一只蚊子看，一分钟已经感觉很久了）。马克问道：

"有没有发现什么奇怪的地方？"

"确实奇怪。"埃里克说，"我们不去闯关，盯着电视里的蚊子干什么？"

很快，我就感觉哪里不对劲："等一下，难道这是……"

屏幕上的蚊子正在逐渐变大，虽然一开始不太明显，但是没过几秒钟，它就长得越来越大。一小会儿的工夫，它已经和猫一样大了。又过了十秒钟，它变得和人一样大了。屏幕突然闪起了蓝光，一个东西出现在了屏幕的一角。马克按了暂停键，问：

"是不是很眼熟？"

是那个面具怪！

"这只蚊子就是游戏里的漏洞。一开始它可能是一只幼虫，但是程序员忘了设定它的大小。一般情况下，这种漏洞都需要专业人员来解决。但是，这个游戏的开发者在游戏里加入了一个能自动消灭漏洞的程序，它就是游戏里的漏洞消灭者——巴格其勒。"

马克又按下了播放键。只见巴格其勒用一个类似激光扫描仪的东西扫描了一下蚊子，用发射器射出一张网。蚊子被网兜住了，但是它长大的速度太快了，没一会儿就把网挣破了。现在，那只蚊子足足有一辆坦克那么大。突然间，巴格其勒也变得和坦克一样大，又发射了一张金属网。这回，那只蚊子没能跑出去。

马克再次按了暂停键："巴格其勒有一大特点，它的学习、模仿能力极强。看到蚊子变大了，它也会跟着变大。蚊子挣破了普通的网，它就会发射金属网。巴格其勒会不惜一切代价消灭游戏里的所有漏洞。只要有巴格其勒，游戏开发者就可以开发出终极版的游戏，因为它可以自己完善游戏。所有的漏洞都会被堵上，留下完美的游戏。"

"那很不错啊，"我说，"但是它为什么要来追杀我们呢？"

"你们就是游戏里的漏洞。"

"你说什么啊？"

"你们是不是哪里违反了游戏规则？"

"没有啊，我们就是闯关打怪啊。"

"但是，你们是两个人组成一个团队去对付每关的怪物，而在系统的设定下，只能一个人和这些怪物对战。"

我们耸了耸肩，之前谁也不知道这些啊。

"你们违反了游戏规则，所以巴格其勒来追杀你们，就是为了不再出现类似的问题。"

完美游戏

"那你做了什么啊？"

马克笑道："我把这些外星人当马骑，它们不太喜欢这种待遇。"

"但是，你成功从面具怪手里逃出来了啊，不是吗？"

马克叹了口气："我这些年都在和它对打，但是它太快了，也太强壮、太聪明了。每次我使用新武器，它都能成功避开，然后它会研究这种武器，成功制作出防御的铠甲。所以，杰西，你用发射器向它射击，我才那么生气啊。现在，我们再也不能用发射器对付它了。"

我看着地面嘟囔着："对不起。"

"都过去了。一定要记住，我们要想对付巴格其勒，只有一次机会。总之，我想闯过第二十关后离开这里的计划被它发现了。所以，它一直守在那里，还带着成千上万的外星大军。它们都穿着铠甲，可以抵御一切武器的进攻。"

"我还是不明白，好好的游戏里放那么个东西干什么，为了困住活人吗？"我说。

"问题就在这儿。"马克补充道，"我检查了这里所有的文件，没有一处提到'实战模式'。所以，这个游戏并没有想把我们困在这里。"

"那我们是怎么进来的？"

"肯定是在游戏开发完成后，有人加入了新的代码。"

"那会是谁呢？"

马克耸了耸肩。

"我还有一点不明白。"埃里克问，"如果巴格其勒抓住我们，会怎么样呢？就算它射中了我们，我们还是会回到这一关的开始处，对吗？"

马克没有说话，再次按下了播放键。只见巴格其勒拖着那只和坦克一样大的蚊子，来到了夏威夷的火山口。它轻轻按了一下旁边一块又小又光滑的石头。大地开始轰轰作响，火山沉了下去，地面瞬间出现了一个大坑。巴格其勒又等了一会儿，直到大地停止摇晃，才把那只蚊子推到大坑边。蚊子掉了下去，大约过了十秒钟，我们听到深处传来砰的一声，应该是蚊子撞到了大坑底部。然后，这一关又恢复了往常的样子。只是那只蚊子，再也不会出现了。

"那个大坑就是黑匣子。"马克说，"任何东西都无法逃出的黑匣子。连光都不能穿透的黑匣子。"

14
正午时分

一次机会。

按照马克说的，我们只有一次机会。他认为，我们要想逃出去，最好的办法就是先靠近巴格其勒，再用威力最强的武器近距离射击它，这样成功的概率肯定更大。

在接下来的一个小时里，我们翻遍了仓库，想找点儿新奇的武器，好把自己全副武装起来。热跟踪导弹？

带上。全息投影仪？带上。双管火箭筒？更要带上。我们把这些马克选出来的装备绑到战术腰带上，方便取用。

最后，我们还制订了一个计划，就是让我来当诱饵。其实也不是真的我，而是我的全息图。他们俩会把我的全息图投影到空地上，当作诱饵。而我只要躲在一个安全的地方就可以啦。当巴格其勒过来时，埃里克就会按照计划用笼子把它罩住。马克则立刻背着飞行器飞过去，扔个大炸弹炸他。然后，我们一起冲过去，用双管火箭筒狂射一顿，确保把巴格其勒消灭掉。双管火箭筒实在太酷了，我们都想试试。

计划看似万无一失——刚开始我们谁也不会离巴格其勒太近，肯定是在离它十几米以外的地方。按照计划，它还没反应过来，我们就把它消灭了。但是，我总觉得哪里不对劲。当我们再一次预演的时候，我把自己内心的疑虑说了出来：

"伙计们，你们觉得这个计划称得上天衣无缝吗？"

"我觉得可以。"马克说，"这些年我一直在琢磨怎么打败巴格其勒，哪怕再来一次，我还会这么做。"

"我不太确定。"我说。

"杰西就是不想当诱饵。"埃里克说。

我看向他："不是的，我只是觉得……"

"没关系的，小虫虫。"埃里克用一种讨人厌的娃娃音说，"我们保证那条大鱼不会伤害你，小虫虫。"

我又转向马克，问："我能朝他开枪吗？"

"当然不能。怎么样，可以出发了吗？"

埃里克行了个礼："收到，队长！"

我叹了口气："我们出发吧。"

我们都戴上了无线耳机——方便及时沟通，然后相继跳上坦克。还是马克驾驶，他带着我们穿过他发现的捷径，来到了他心目中最适合的关卡——好莱坞。我们来到了摄影棚，看场景这里正在拍一部西部电影。

我们消灭了几个捣乱的外星人，在摄影棚中的杂货店前布置好了陷阱。我抽空扫视了一下这座拍电影用的废弃小镇。大太阳下面是布满尘土的街道，决战选在这里再合适不过了。然后，我站到绿色的激光屏前，开始制作自己的全息图。马克在理发店上面找了个地方藏了起来，埃里克也把笼子准备好了。

现在万事俱备。埃里克也藏好了，我打开全息图的开关，耐心等待着。没过多久，我们的"老朋友"就来了。烈日当空，巴格其勒出现在街道的另一头。正午时分的决战，就要拉开帷幕。

我紧握拳头（当然，只有一只手能握住，另一只手是发射器），冲巴格其勒点了点头。他将发射器对准我，朝我的全息图走了过去。计划奏效了。我激动得手舞足蹈，像拳击冠军那样挥着拳头。突然间，巴格其勒越走越快，开始奔跑。在距离全息图三米左右的地方，它跳了起来，一只拳头在后，像是要出拳的样子。眼看它就要打上我的全息图了，我大喊一声：

"好了！"

埃里克启动陷阱。

咣当一声。

一个金属笼子掉了下来，正好罩住巴格其勒。但是，它看上去一点儿也不恐慌，而是冷静地看向四周。很快，它看到了我，并死死地盯着我——不是我的全息图，是有血有肉的我。然后，它伸出那只有四根手指的手，又开始冲我挥手。

"伙计们，我感觉不太好。"我说。

马克已经飞过去了。"我们抓住它了！"他通过无线耳机兴奋地喊着。

巴格其勒还是和刚才一样，直勾勾地盯着我，仿佛它已经知道了一切。我想明白了！

"任务取消！"我冲着无线耳机大喊。

它已经识破我们了。

"马克！任务取消！我们被发现了！"

影子，我们都忘了之前的影子。在自由女神像里面第一次遇见巴格其勒时，我们就是借助影子骗过了他，成功躲过一劫。

"就要成功了！"马克的声音从无线耳机里传了过来。

同样的方法绝对骗不了巴格其勒第二次。全息图和影子确实不一样，但是很相似。它这么聪明，肯定早就发现了。

"马克，快停下来！"

马克把炸弹扔了下去。炸弹还没着地，巴格其勒就消失了。或者说，巴格其勒的全息图消失了。

轰！

大地开始摇晃，街道上的灰尘飞了起来。埃里克带着双管火箭筒，也从藏身的地方跑了出来。

"不要啊！"我大喊着跑了出去，想要保护他们。就在这时，我看到了藏在埃里克身后的巴格其勒。

"埃里克，小心！"

埃里克一脸困惑地看着我，还没来得及说什么……

轰隆！

巴格其勒就把他干掉了。

"不要啊！"

轰隆！

只见它行云流水一般，解决了天上的马克，又把发射器对准了我。

轰隆！

15
唯一的出路

这下大事不妙。

被消灭之后，我也来到了这一关的起点——银行保险库，和埃里克、马克会合了。周围都是外星人，我拼命朝它们射击。

轰隆！轰隆！轰隆！

"这没什么用。"马克说，"我们的炮弹已经伤不到它们了。"

一个外星人走了过来，对着我们左戳戳、右捅捅。它那个奇怪的外星脑袋离我们特别近，还用鼻子使劲闻着我们。突然，它发出尖厉的叫声，把我们的战术腰带拿走了。这时候，巴格其勒也来到了保险库里。它缓缓地踱着步，上上下下打量着我们。

"耶耶西西西西西西西西西西西。"它透过面具看着我，发出咝咝的声音。我顿时感觉脊背一凉。"队队队队队队长长长长长埃埃埃埃埃埃埃里里里里里里克，马马马马马马马克。"说完，巴格其勒就转身走了出去，外面随即传来一阵电钻声。

"它们在干什么？"我问。

"我猜，"马克回答，"巴格其勒是打算让外星人把保险库封住，让我们出不去。然后，它再把保险库扔到黑匣子里。"

听到这个，埃里克吓坏了："我们不能坐以待毙啊！"

马克耸了耸肩，说："我们还能做什么呢？这个游戏里所有武器都已经失效了。"

就在这时，我突然有了办法。也称不上是好办法，不过可以试试。

"还有武器没有失效。"

"都失效了，"马克说，"什么都用不了了。"

"的确如此，但是说不定我们还能想出别的办法。埃里克，你现在有鼻屎吗？"

埃里克一脸困惑地看着我，不知道我为什么要问这么奇怪的问题。但与此同时，他又带着几分骄傲，因为他正好能提供大块的鼻屎："当然了。"

"太好了。"我说，"我有个不成熟的计划。"

埃里克和马克凑了过来，听我讲我的计划。这一次居然是我来做战斗计划，感觉有点儿怪怪的。但是，这种感觉很好，也很让人激动。听我说完，马克惊得张大了嘴巴，直直地看着我。

"如果你们觉得不合适，我们不一定要这么做。"我说。

"这个主意真是太疯狂了。"马克说。

"我知道。"

"感觉我们肯定不会成功。"他补充道。

"我也知道。"

"但这是我们唯一的机会了。"马克把手搭在我的肩膀上，"谢谢你杰西，我感觉又有了希望，说不定我们能回去和爸爸妈妈团聚了。"

我笑了。

"你这个主意太棒了，杰西。"马克又说，"幸亏你告诉了我们。"

埃里克使劲挖着鼻孔，寻找大块的鼻屎。"有了！"

"太棒了！"我说着，和马克走到了保险库的门口，躲到了门后面。

"让我们看看你的威力吧！"

"哇！快看看这个！"埃里克的表情像好莱坞电影里的演员一样夸张，"我还没见过这么大块的鼻屎！"

电钻声突然停了，我示意埃里克继续。

"你觉得这块怎么样？"

埃里克托起他的鼻屎，放在距离自己的脸很远的位置，模仿着莎士比亚的戏剧里的人物，说道："啊，我的心肝，它是如此美丽！美得让我移不开自己的双眼。"

保险库的门咯吱咯吱地打开了，一个外星人把脑袋伸进来四处张望着。埃里克全然没有注意到这些，他正沉浸在自己的表演里。我和马克悄悄往后挪了挪，尽量不被发现。

"挖鼻孔还是不挖鼻孔，这是一个问题！"

外星人把门开大了一些，随后走了进来。后面跟着它的两个同伙。

"无论这块鼻屎还是那块鼻屎，都是香香的鼻屎！"

外星人都凑了过来，想要看个究竟。换谁肯定都会这么做，这真的是块很大的鼻屎。现在，这三个外星人都背冲着我和马克，还差几步，我们就可以……

"啊，鼻屎啊鼻屎！为什么你是这样的一块鼻屎！"

"行动！"

我和马克不再躲藏，直接跳到了离自己最近的外星人身上。它们尖叫着，转着圈，想要把我们甩下去。我俩都紧紧抓住它们的触角，不让它们得逞。要想把它们当马骑，抓紧它们的触角是关键，马克之前和我们讲过。看我俩都已经有了坐骑，埃里克直接把手中的鼻屎朝离他最近的外星人抹了过去，然后顺势抓住它的触角，纵身一跳骑到了它的背上。

"跟上我。"马克喊道。

我们骑着外星人一路狂奔，穿过银行大厅里的外星人大军——它们瞠目结舌，定在了原地。在往外跑的路上，我们还差点儿撞上了巴格其勒。

"这边走！"马克一边喊一边拐到了左边的路上。这时，外星人大军已经追了出来。这感觉就像是在拍警匪片，我们开着车一路狂飙。我们穿过刚才那个拍西部电影的摄影棚，后面是穷追不舍的外星人大军。

"从这儿过去！"马克说着又转到了一个小胡同里。小胡同很是狭窄，两边是石头砌成的建筑。就这样，我们来到了拍摄中世纪电影的摄影棚，里面是一派田园风光。马克一边骑着外星人狂奔，一边顺手从道具台上拿了支长矛。我和埃里克也学马克挑了支长矛。在拐过中世纪的马厩时，我们差点儿撞上三个喷着火的外星人。它们三个迈着笨重的步子，也想过来抓我们。

铛铛铛！唰唰唰！

我们手握长矛，直接把它们打倒在地。

马克没有停歇，继续带着我们朝城堡冲去。他转过身来冲我俩点了点头。我们立即明白了，这是要我们像他那样去做。

只见马克朝着护城河冲了过去，他使劲抓住外星人的触角，速度越来越快，眼看就要骑着外星人跳到护城河里去了。

"马克！"我大喊一声。这时候马克已经骑着外星人跑到了岸边。只见马克从外星人背上跳了起来，然后把身子蜷成一个球，借着刚才的力朝城墙撞去。城墙上肯定有一条捷径。果不其然，马克刚撞上去，整个人就不见了。

我还来不及思考要不要效仿马克，把自己当炮弹弹出去，我骑着的外星人也已经冲到了护城河边。没有其他选择了，我只能朝着城墙上马克消失的那个位置弹过去，满心希望自己能够瞄准一点儿。

"呼！"

虽然落地的姿势欠佳，但是我成功了。没过一秒钟，"呼！"埃里克也进来了。

我们在这一关的下面摸黑穿行，跑到了一个有天窗的地方。

"就是这儿了。"马克说，"我们马上就能闯过这一关了。"

真是令人难以置信，我的计划居然成功了！可这种狂喜的心情和乐观的态度没有持续几秒钟。咔嗒一声，我推开天窗，希望也随之破灭了。我们又回到了西部场景中，马路对面是发着光的传送门。但是，要到那里，要先穿过前面庞大的外星人军团才可以。

我赶紧关上天窗，告诉他俩："外星人知道了我们要来这里，早已经准备好了。"

"外面有多少外星人？"马克问。

"不确定，几百个吧。"

埃里克听了，一下瘫坐在地上："除了那儿道传送门，我们还有别的方法能离开这一关吗？"

马克摇着头回答："没有了，只有这一个方法。"

"我们没有被困在黑匣子里，反倒被困在这一关的下面了，是这个意思吗？"埃里克说着，懊恼地抱住了脑袋。

"不，"马克说，"你们不会被困在这里。"他径直走到天窗前，伸手就要打开天窗。

"你这是在干什么？"我问。

"我要让你们离开这里。"

"那你怎么办呢……"

　　"我跳出去之后，你们等两三秒再出去，然后用最快的速度跑到传送门那里。"马克说。

　　"我们在哪里会合呢？"

　　马克摇了摇头："这回我不能和你们会合了。"他说着，情绪有些激动。我能看出来，他决心已定。

　　"请不要告诉我的爸爸妈妈，我不想让他们知道我的遭遇，那会让他们难过的。"

　　"马克，你说什么啊?！"埃里克激动地站了起来，"要走我们一起走！"

　　"这是唯一的办法了。"马克说。

　　话音刚落，他就打开天窗跳了出去。

16
重回靶场

我使劲抱住马克的双腿，想要阻止他。但是，他速度又快、身体又壮，我根本无法阻止他。他从天窗跳了出去，奔向传送门。

外星人立刻就看见了他。

"马克！"埃里克大喊。

马克没有丝毫犹豫，径直穿过外星人军团，去拿飞行器。

"快来！"我冲埃里克喊道。

"但是，马克还……"

"马克这么做是为了帮助我们，不能让他白白牺牲。"

这个时候，马克已经把飞行器背在身上飞了起来。

还没飞多高，外星人就抓住了他的脚，想把他拖回地面。马克给飞行器开足马力，突然下落，周围弥漫着飞行器喷出的尾气，弄得外星人晕头转向。

马克独自对战外星人的同时，我和埃里克朝着传送门跑去。马克吸引了不少外星人。我们马上就到传送门那儿了，一个外星人突然过来捣乱。既没有武器，也没有退路，我只能使出了自己唯一的游戏技巧，像超级马力欧那样，跳到了它的头上。

嘣！嗷！

这么做虽然不能干掉这个外星人，却也足以把它整蒙。我来不及高兴，甚至来不及从它脑袋上跳下去，一个外星人又来了。

嘣！嗷！

又是一个。

嘣！嗷！

就快到了！前面没有外星人阻拦，眼看我就可以跨过这道传送门，突然——

嗞嗞嗞嗞嗞嗞！

巴格其勒滚到了我眼前，挡住了通往下一关的传送门。我尖叫着，朝它冲了过去。

它伸手要来抓我，眼看就要得逞了，我突然一转身跑了。哪怕是聪明的巴格其勒也没有想到，我并不打算去下一关。

呼！

我转到了左面的那扇传送门——能把我带到之前关卡的传送门。我朝下坠落，经过一扇又一扇关卡的传送门：第八关、第七关、第六关、第五关、第四关、第三关、第二关、第一关。这都不是我要去的地方，终于，我到达了自己的目的地——新手教程。

我打开传送门走了进去。

兵营、沙地、阳光，和我之前来的时候一模一样。但是，我却没有看到中士，他去哪儿了？

"你怎么又回来了，小子？"

我看见中士在基地的另一边，赶紧朝他跑了过去。

"我需要你的枪。"

"在靶场你可以随意练习射击。"

"没时间解释了！快把枪给我！"

我们的好莱坞偷袭计划失败后，巴格其勒见过了游戏里的所有武器。只有一个漏网之鱼——中士手里的气枪。这个武器太简陋了，玩家的装备里面都没有。

"在靶场你可以随意练习射击。"

时间不多了，我看到一个像大蜥蜴一样的外星人从传送门里走出来。

我想要硬抢中士的枪，但是中士紧紧攥着，枪好像粘在他手上一样。又来了一个外星人，一个接着一个。然后，巴格其勒也来了。

"在靶场你可以随意练习……"

正如埃里克所说，这个中士就是一个电脑程序，他只会做指导别人这一件事。

第一个通过传送门的外星人看见了我和中士，飞快地朝这边跑来，就像踩着风火轮一样。我赶紧转向中士，想要抢到气枪。等我再回过头来时，那个外星人已经从一米多远的地方向这边扑了过来。我一把抓住中士，想用他的身体当我的肉盾。

中士的气枪正好对着外星人，他见状立刻开了一枪。

砰！

别小看这把气枪，虽然它杀伤力不大，只能在靶上穿一个小洞，却能让外星人瞬间消失。

嗷*！*

我把中士转过来，赞叹道："太棒了！你怎么知道朝它开枪？"

"在靶场你可以随意练习……"

随便吧。我抓住他的腿，给他转了个身，把枪口对准了冲过来的外星大军。

砰！砰！砰！

嗷！嗷！嗷！

居然成功了！虽然费点儿劲！但是，外星人越来越多，中士干掉一个，又有四个冲过来。我俩一路撤退，最后躲到了一块巨大的岩石后面。外星军团越来越近，它们激动地嚎叫着，每走一步就欢呼一声。

突然，整个世界安静了。

我从岩石后面偷偷向外张望，只见外星人分列两旁。原来是巴格其勒来了。

"耶耶西西西西西西西西西西西。"

我权衡各种可能的选择，哪种似乎都不会有好结果。

"耶耶西西西西西西西西西西西。"

我要是继续躲在这里，用不了十秒就会被炸成灰。

"耶耶西西西西西西西西西西西。"

我和中士要是直接朝巴格其勒开枪，顶多能撑五秒。

"耶耶西西西西西西西西西西西。"

我要是往传送门那边跑，跑不了两步就会被外星人抓住。

"耶耶西西西西西西西西西西。"

要不然我就举手投降吧，也许黑匣子里没有那么糟呢。想到这里，我又朝外面看了看，巴格其勒再走五六步就过来了。我打算不再躲藏，刚要站起来，只听轻微的一声：

呼！

埃里克终于从传送门过来了。他一出现在这一关的起点，就开始朝我疯狂地挥手。我愣了足足一秒，才弄明白他是什么意思。这真是个不错的点子——埃里克啊埃里克，你真是鼻屎天才啊！我又缩回了岩石后面。

接下来，我既不打算迎着炮火向前，也不想当缩头乌龟跑路。

"耶耶西西西西西西西西西西西。"

只剩下一个选择。

射击！

轰！

我对准中士就是一枪。

17
最后一战

这绝对是有史以来速度最快的巅峰对决。

才一秒多一点儿，战斗就结束了。整个过程详细讲来是这个样子的。刚才，我躲回到岩石后面，中士又开始叨叨。

"在靶场你可以随意练习……"

我打断了他，说："对不起了。"然后，我将胳膊上的发射器对准了他。

可怜的中士啊，全然不在意这些，还是自顾自念叨：

"……随意练习……"

轰！

中士消失了。在游戏中，我们被射中后都会回到这一关开始的地方，中士也不例外。而这时候，埃里克正张开双臂等着他呢。

我从岩石后向外张望。巴格其勒听到轰的一声，这儿看看，那儿看看，最后才发现站在自己身后的埃里克。埃里克冲它笑了笑，然后挥了挥手。

砰！

巴格其勒还想转身躲开，但是一切都太晚啦——中士一下正中靶心。

"哇哇哇哇哇啊啊啊啊啊……"

巴格其勒仰面长啸，哀嚎声划破天空。

"……啊啊啊啊啊哇哇哇哇哇……"

声音越来越大，所有的东西都跟着颤动起来，我感觉自己的心都快被震出来了。

"……哇哇哇哇哇啊啊啊啊啊……"

　　我赶紧捂住耳朵，面前的岩石都被这声音震碎了。在我右边的外星人也跟着开始爆炸，化成一道道光消失了。就这样一个接一个，此起彼伏，我的面前仿佛炸开了无数烟花，亮得我睁不开眼。我唯一能分辨清楚的，就是一米之外的巴格其勒，它正在熔化。我闭上了眼睛。

　　"……哇哇哇哇哇啊啊啊啊啊！"

　　巴格其勒凄厉的尖叫声达到了顶点，然后逐渐消失了。过了几秒，我才缓缓睁开眼睛。

　　地毯、遥控器、破沙发，我又回到了埃里克家的地下室。

18
格雷戈里先生

埃里克就在我旁边，蜷缩成一团。

"嘿，兄弟，"我说，"我们回来了！"

埃里克也慢慢睁开眼睛，看着这熟悉的地下室。然后，他低下头。他怀里有一个玩具士兵——和游戏里的中士长得一模一样。

"刚才究竟发生了什么？"

电视屏幕黑着，只留着一行字：

巴格其勒协议已终止。

埃里克拿着游戏手柄，对着电视按了一通，想清除这些字，但是怎么按都无济于事。他甚至重启了游戏，那行字还是反复弹出来。他试着拔掉电源再开机，那行字依旧在那里。这个游戏不能玩了。

过了老半天，埃里克才转过头来，问我：

"刚才那些都是真的吗？"

当然是真的——刚才的经历如此真实。但是，话说回来，飞行器、成年的马克、自由女神火箭，这一切怎么可能是真的呢？我们看了一眼表，现在是下午3点24分。我们进入游戏里还不到一个小时。我俩回忆着，你一句我一句，但是越说越觉得这都是一场梦，我们只不过是打了一个盹儿。

于是，我们决定去找一个人，如果有谁知道答案，那肯定就是他——查理的爸爸。我们跳上自行车（开完坦克再回来骑自行车，真是让人觉得不适应），朝着查理家骑去。查理家在镇上的富人区，他家的房子看上去像是一幢未来建筑。我们到了查理家，埃里克按响了门铃。

查理应声打开了门。"嘿，伙计们！你们好啊！"

"你爸爸在家吗？"我问。

查理一听我们要找他爸爸，顿时没了精神。"你们找他啊，他在家。等一下。"他看上去很伤心，肯定在想大家都是为了他爸爸的游戏才跟他交朋友的。

过了几分钟，查理的爸爸格雷戈里先生走了出来。他瘦瘦的，戴着一副大眼镜，头发都竖起来了，像豪猪一样。

"怎么了，孩子们？"他问。

"是您开发的《火力全开》，对吗？"埃里克问。

"对啊！你们喜欢这款游戏吗？"

"这个嘛……"埃里克看了我一眼，"这款游戏让我们差点儿丢了小命。除此之外，它真是太有意思了。"

格雷戈里先生一边眯着眼打量着我们，一边用手打理着自己的头发。而埃里克则滔滔不绝地讲着我们这一下午的经历——实战模式、巴格其勒，还有所有的一切。一开始，格雷戈里先生还是一脸困惑，但是当我们讲到马克的时候，他脸上浮现出一丝恐惧。

"这绝对不可能。"格雷戈里先生说道，"不要再编这种故事骗人了。"

他嘴上虽然这么说，却难掩苍白的脸色和颤抖的声音。他并不觉得我们在说谎。

"求求您了，"我说，"您一定要相信我们。"

"我一点儿也不信。"

"您一定要帮帮我们，"我继续恳求着，"一定要把马克救出来。"

格雷戈里先生用温柔的声音安慰我们："我向你们保证，这些我真的不知道。"他瞥了一眼街道，压低了声音："但是，我会想想办法，看看能不能打探到什么。"

"谢谢您！太谢谢您了！"

这是两周前的事情了。从那之后，再也没有人见过格雷戈里先生。

19
你确定吗？

"耶耶西西西西西西西西西西西。"

巴格其勒离我越来越近。透过面具，我甚至能感受到它沉重的呼吸。它伸出触角一样细长的手指，马上就要碰到我了。

"耶耶西西西西西西西西西西西。"

我猛地从床上坐了起来，又是一个噩梦——这周已经做了四次噩梦了。为什么我不能做点儿好梦？比如说，背着飞行器驰骋天空。为什么我梦到的都是这些吓人的事？

我们从游戏世界里逃出来已经两周了，但是，我和埃里克却没有想到任何救马克的办法。格雷戈里先生去哪儿了？还能找谁来帮忙？这一切是真的吗？与此同时，埃里克发誓再也不玩电子游戏了——因为他不想再冒这么大的风险了。我就更不用说了，不需要找任何理由，我这辈子都不打算再碰这类游戏了。

我再次躺下，闭上眼睛，想要睡一会儿。

"杰西。"

我打开台灯，瞪大双眼，四处张望。什么都没有。但是，我真的听到有人在喊我的名字，难道这又是做梦？

"杰西。"

我眼角的余光扫到床头柜上，发现有什么东西在动。我定神看了看，那里只有我的闹钟、台灯、拼写比赛的奖杯，以及《火力全开》游戏里的玩具中士（我把它放在床头柜上当作纪念）。

"杰西。"

是中士在喊我。虽然屋子里很昏暗，但我发誓，我真的看见中士的嘴巴在动。于是，我凑近了他。

只见玩具中士步伐僵硬地向前迈了一步。

"你能救他出来。"中士说。

"救谁出来？"从前我可不是那种会和玩具说话的人，但是现在我可是背着飞行器飞过夏威夷的人，这种聊天也就不那么奇怪了。

"马克。"中士回答，"你必须回去救他。马上行动！"

我突然一阵眩晕。

"你愿意回去吗？"

"愿意。"我低声说。

"你确定吗？"

探索无限

在电子游戏中，你可以成功躲避守卫、赢得比赛或打败怪兽，但你知道这一切是如何实现的吗？这背后的技术支持就是程序语言的条件表达式。

这真是太棒了！

条件表达式

有了条件表达式，你就可以在游戏中操控角色、采取行动，进而获胜。条件表达式可不容小觑，大到按下按键 A 后游戏角色有什么反应、跌到深沟中会怎么样，小到对战时双方的表情，以及双管巴祖卡火箭筒和单管巴祖卡火箭筒在游戏中的威力有多大差别，都需要用条件表达式进行设置。

想不想自己设计一款电子游戏？想的话，你先要掌握两种基本条件表达式——IF 和 ELSE。你可以通过后面的掷色子大挑战，来了解它们的用法。

2

如果 IF 表达式

IF 表达式是最简单的条件表达式，它告诉你"如果出现这种情况，就要这么做"。

IF 的意思是"如果"。这么说来，其实生活中处处离不开 IF 表达式。打个比方，如果外面下雪了，妈妈会让你穿上厚外套（还要戴上帽子、围巾、手套之类的）。这不就是 IF 表达式嘛！

— 谢谢妈妈！

上面的例子可以像下面这样表达。

如果 下雪 **那么** 穿上厚外套，戴上帽子、围巾、手套等

《火力全开》游戏也离不开 IF 表达式。

如果 杰西按下按键 A **那么** 他能跳起来

如果 炮弹击中纸靶 **那么** 靶子会化为灰烬

如果 杰西打中了最后的靶子 **那么** 他就能进入第一关

你还知道哪些 IF 表达式呢？请列出来吧。

掷色子大挑战

第一关：记忆代码

需要两名玩家，同时准备一颗色子。

1. 玩家一掷色子，根据掷出的点数做相应的动作（详见下面具体要求）。比如说，**如果** 玩家一掷出 5 点，**那么** 他要按要求拍拍自己的肚子。

2. 玩家二掷色子，之后他要先完成玩家一做出的动作，再完成自己掷出的点数所对应的动作。比如说，**如果** 玩家二掷出 3 点，**那么** 他要先拍拍自己的肚子，再跳一段舞。

3. 玩家一继续掷色子，要按顺序做出前面两人的所有动作和本次所掷点数的对应动作。随着游戏次数的增加，要做的动作也会越来越多，一定要记清楚这些动作及其顺序。

4. 若有一方"违反代码"，也就是做错了动作或记错了动作的顺序，则为输。

提示

这样玩上几局后，你可以自己写一些点数对应的动作，创造新的游戏。

1 点 = 学鹦鹉叫　　　　4 点 = 说"我爱美洲驼"

2 点 = 做鬼脸　　　　　5 点 = 拍拍自己的肚子

3 点 = 跳一段舞　　　　6 点 = 单腿跳一下

如果不 ELSE 表达式

另一个常见的条件表达式就是 ELSE 表达式，ELSE 的意思是"如果不"。IF 表达式提供了条件，给了我们唯一的选择，而 ELSE 表达式则另辟蹊径，又开了一扇窗。

ELSE 表达式在生活中也有诸多应用。举个例子，假如你没穿外套就要出门，不巧让妈妈看见了。"等一等！"她阻止道，"穿上外套，温度计显示外面只有 25 度！"

"不用了，妈妈。外面是 25 摄氏度，也就是差不多 77 华氏度呢！我不小心改了温度计上的设置，改不回去了。"

"好吧，那就没事了。"

上面的例子可以像下面这样表达。

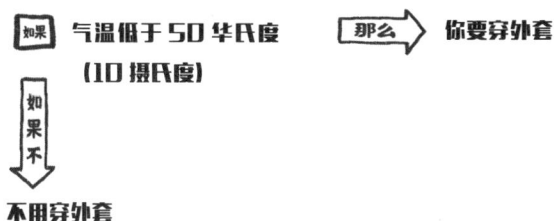

如果 **气温低于 50 华氏度（10 摄氏度）**　　那么 **你要穿外套**

如果不

不用穿外套

在《火力全开》游戏中，一旦玩家按下按键 B，就会触发 IF 表达式或 ELSE 表达式。如果长按按键 B 达 5 秒以上，就能发射大型炮弹；如果不足 5 秒，只能发射常规小型炮弹。

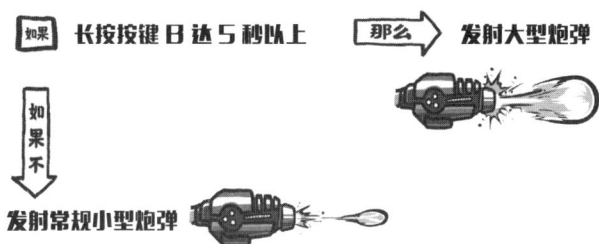

如果 **长按按键 B 达 5 秒以上**　　那么 **发射大型炮弹**

如果不

发射常规小型炮弹

掷色子
大挑战

第二关：魔法数字

需要两名玩家，同时准备一颗色子。

1. 掷色子前，玩家一先选择一个数字作为"魔法数字"。比如说，玩家一选择了数字"2"。

2. 如果玩家一掷出 2 点，则什么都不用做，直接把色子给玩家二，游戏继续；如果玩家一掷出了其他点数，则要完成点数所对应的动作。

如果 **玩家一掷出 2 点** 那么 ➡ **他什么都不用做**

如果不 ⬇

完成点数所对应的动作

3. 每个玩家掷色子之前，都要选择新的"魔法数字"。如果玩家掷出所对应的点数，则暂时安全；掷出其他点数，则要按顺序做出前面两人的所有动作和本次所掷点数的对应动作。

4. 若有一方记错了动作的顺序或做错了动作，则为输。

1 点 = 学鹦鹉叫　　　　　4 点 = 说"我爱美洲驼"

2 点 = 做鬼脸　　　　　　5 点 = 拍拍自己的肚子

3 点 = 跳一段舞　　　　　6 点 = 单腿跳一下